KB103970

그 아무것도 확실하지 않더라도

그 아무것도 확실하지 않더라도

임영원
김세영
유도담
신유진
최수경
최문희(앨리스)
박종언

들어가며

우리가 잘 살고 잘 못살았다는 것은 어떤 기준에 맞춰진 초점일까?

사실 우리는 주어진 답이 없이 막연하게 인생을 살아가면서

수많은 것들에 대해 부딪혀보고

그렇게 지혜를 터득하며 배우게 되는 이치를 가졌다

세상에 딱히 정해진 정답은 없듯

오늘의 우리가 하는 모든 일들에 대해서도 결국 정확한 정답은 없다

그저 스스로 겪어보고 대처하고 직면해 봄으로써

옳고 그름을 알게 되지만

그 어떤 옳은 선택일지라도 그 어떤 그른 선택일지라도

결코 틀린 것도 아니고 다른 것도 아니다

그 어떤 일들에 대해서도 확실한 건 없기에

이 글을 읽는 당신도 지금 아무것도 확실하지 않아도 괜찮다

그러니 오늘 일어난 모든 일들에 대하여

그리고 훗날 다가올 모든 일들에 대하여

너무 걱정하지 않길, 너무 마음 졸이지 않길, 너무 마음 다치지 않길,

더불어 이 책은 작가들이 살아오면서

겪었던 감정과 일들에 대하여 단락을 나누어 서술해 두었다

다양한 감정을 지닌 작가들의 이야기를 들여다보며

딱히 정답이라고 단정 지을 순 없겠지만

당신의 마음에 울림을 하나쯤은 담아가길 기대해 본다

이 책이 당신에게 때로는 공감이 되어주는 친구처럼,

마음에 치유를 해주는 의사처럼,

몰랐던 새로운 배움도 알게 해주는 선생님처럼,

그렇게 친근하게 다가가길 소망해 본다

- 공동저자 中 김세영

차 례

받아들이는 연습

임영원

임영원

철학적 사유에서 즐거움을 얻으며, 스치듯 지나는 무수한 감정들을 자각하려 늘 노력하는 사람. '나는 생각한다. 고로 나는 존재한다'는 데카르트의 말을 가만히 떠올리는 순간의 사색을 즐기며, 갑작스레 홀로 떠나는 여행에 희열을 느끼기도 한다. 가장 좋아하는 영화는 <냉정과 열정 사이>이다.

instagram: @01__forever

blog: https://blog.naver.com/daisy102_

Prologue

오늘 하루의 끝자락 즈음 지인과 문자를 주고받으며 아주 기분 좋은 이야기를 들었습니다. 올 한해 제게 추천받은 책을 읽은 것을 계기로 통 가까이 하지 않았던 책에 다시금 관심을 두게 되었다며, 덕분에 기억에 남은 한 해가 되었다는 말을 듣고는 정말 마음이 흡족히 기뻤습니다. 성장과 상생을 동시에 이룬 듯한 큰 보람을 느끼기도 했지요.

끝은 '또다른 시작'이라는 말이 있습니다. 제게 유난히 그 '시작'이 되는 시기에 이 책을 집필하게 되었습니다. 그 점이 오히려 책을 써내려가기에 다양한 소재를 제공하는 이점을 주기도 했고요. 여러 갈래로 분산된 저의 마음을 정리하게 된 계기가 되었는지도 모르겠습니다.

최근 방문한 안동에서 단풍이 낙화하는 낯선 거리를 걸으며 길을 헤맬 때, 왠지 모르게 삶에 관한 희망을 느낄 수 있었습니다. 기꺼이 길을 헤매기 위한 용기를 내려, 낯선 여행지에서 한 걸음을 내디뎠다는 사실이 제게 새로운 도전과 열망을 꿈꾸게 하는 설렘으로 다가왔던 걸까요.

가을과 겨울 그 사이를 배회하다 혼자 상념에 잠기던 중 그 속에서 소생된 이야기들을 책에 담아보았습니다. 그것은 마치 길을 지나다가 작은 민들레꽃을 지나치지 못하고 씨앗을 후 불어 흩날리는 민들레씨를 가만히 바라보는 심정이었다고 할까요. 참 덤덤하고도 애틋한 감정으로 조심스레 적어 내려간 듯합니다.

그보다 더욱 솔직한 심정으로는 하루 끝 침대에 앉아 혼자서 끄적인 일기를 이름 모를 누군가에게 선보이는 떨리는 마음이 들기도 했습니다. 아마 이 책을 함께 집필한 모든 분이 그런 마음을 조금은 갖고 있지 않을까 하는 생각도 듭니다.

여러분의 생각과 제 생각이 자연스레 맞닿아 이어진 오늘을 잊지 않으려 합니다. 제가 이 순간을 숨 쉬며 살아가는 이유이기도 하겠지요. 제 사유의 시작과 끝을 동행해 주셔서, 제가 사유하는 모든 순간의 시작과 끝이 되어 주셔서 감사합니다.

2023년 12월 겨울, 깊어져 가는 도시의 밤 속에서.

〈 받아들이는 연습 〉

가끔은 아무것도 하지 않아도 괜찮다

"내 안의 나를 비워내고 새로운 자극들을 좀 더 직관적으로 느낄 수 있는 계기가 되길 바랍니다"

올해 5월 멍때리기 대회에 나가서 참가 사유로 작성했던 문장이다. 그 말 그대로를 온전히 실현 하고 온 것 같아 스스로가 대견하게 느껴질 만큼 너무나 소중하고 보람찬 시간이었다. '비워냄'의 진정한 의미에 대해 보다 깊게 고찰하는 과정이 되길 바랐지만, 오히려 '받아들임'의 의미와 가치를 더욱 절실히 깨닫게 되었다. 참으로 희한한 일이 아닐 수 없었다. 그도 그럴 것이, 아무 생각도 하지 않고 멍하게 있다 보면 내면의 바닷속 어딘가 기저로부터 미세 플라스틱과 같이 눈에 보이지 않는 것들이 유유히 떠오르기 마련인데, 그로 인해 일어나는 잔물결이 일으키는 미세한 파장을 감지 했을 때부터 나는 더 이상 비워냄을 이루는 존재가 아니었다. 그 느낌 자체를 받아들이는 사람이 되었다는 걸 알아차리고, 비워내기를 과감히 포기했다. 그러고 나니, 마음이 새삼스레 가벼워짐을 스스로 느꼈다.

어쩌면 항상 그랬다. 슬프지 않기 위해, 행복하기 위해, 외로워지지 않기 위해 애쓰며 살아왔지만 그 모든 감정으로부터 해방되어 차분히 받아들일 때 비로소 슬프지 않고, 행복하며, 외로움이 나를 틈탈 공간도 없었다. 그저 나를 그 모든 감정으로부터 한 발짝 물러서서 지켜보고 받아들이면 된다는 걸 가까이서는 깨닫기가 참 쉽지 않았다. 미술작품의 여백이 사각형 안에서 그 만의 유려한 선을 자랑하며 눈을 사로잡고, 말의 공백이 그다음 말을 집중시키며, 음악의 쉼표가 다음 선율을 더욱 기대하고 몰입하게 만든다. 그 작은 쉼표가 곧 전체를 풍성하고 조화롭게 만드는 것이다.

이처럼 우리의 삶에서도 긴장을 풀고 심신을 재충전하며 나를 찬찬히 돌아보고 성찰하는 휴식 시간이 필요하다. 내 삶을 그 무엇으로 빼곡히 채울수록 정작 그 속에 비집고 들어갈 자리도 없는 존재는 아마 내가 될지도 모른다. 그러니 정말 아무것도 하지 않아도 때론 괜찮다. 아무것도 생각 않고 머릿속을 텅 비워 내려 애쓰지도 말고, 그저 내게 오는 모든 무수한 감정들을 스치듯 받아들이는 시간을 가질 수 있는 것도 내게만 집중할 수 있는 큰 능력임을 알았으면 한다. 무엇을 해내지 않아도, 나의 존재 자체로 내가 너무도 멋지고 눈부신 사람이란 걸 깨달음이 바로 내 '자존감'의 근간이 된다. 자신이 어떤 일을 성취할 수 있을 것이라 믿는 기대와 신념을 갖고 성취한 그 일에 대해 자부심을 느끼는 것은 '자기효능감'이라 한다.

이 둘의 구분이 분명하지 않아 자신의 삶을 불행하다 느끼는 사람들이 내 주변에서도 적지 않은 것 같다. 특히 회사에서 누가 시키지도 않았는데 야근을 마다하지 않으며 일하는 사람들이 이런 생각을 하고 있을 확률이 높다. 더불어 이런 사람들은 회사에서 열심히 일하고 성취한 바가 실제로 많다. 다만 눈여겨봐야 할 점은 그런 행동이 자신의 가치를 실질적으로 높이고 삶의 행복도 상승에 관여한다고 믿는다는 것이다. 각자 삶의 가치관과 사고관은 천차만별이므로 응당 그럴 수 있다. 그러나 문제는 회사에 있지 않을 때 발생한다. 회사안에서 이루는 그 성취가 본인의 가치를 높이는 일이라 믿어왔는데, 그 일 자체를 하지 않으면 그 자신의 가치가 더 이상 발현되지 않으니, 그때부터 자신의 가치를 어디서 찾아야 할지 몰라 혼란에 빠지게 된다는 것.

아무것도 하지 않아도 나 자신 자체가 이 세상에 존재하여 그 교차하는 시공간 속에서 그 만의 감정을 느끼고 고유한 사고를 할 수 있는 유일한 사람이라는 그 사실 하나만으로 우리는 정말 충분하도록 귀중히 여김받을 만한 존재이다. 내가 보기에 나는 이 세상에서 그저 한 사람에 불과해 보일 수 있지만, 어떤 이에게 나는 세상의 전부일 수도 있다. 꼭 무언가 목표를 세우고, 새로운 일에 도전하고, 꿈을 현실로 이루는 어떤 일을 해야만 나의 실존 가치를 인정받는다면 그보다 더 서글픈 일이 있을까?

과정보다는 결과가, 보이지 않는 가치보다는 보이는 가치가 더욱 존중받고 시선을 사로잡으며 힘을 발휘하는 이 시대를 살고 있어서 그런 걸지도 모르겠다. 그러나 변하는 시대는 내 마음대로 바꿀 수 없지만, 내가 나에 대해 돌아보고 인식하는 관점과 내가 내게 갖는 감정은 나의 의지와 선택에 따라 언제든 바꿀 수 있다.

놓아주는 힘

"잘 보내주는 것도 연모 만큼이나 따뜻한 마음이지요. 사랑받았던 기억이 평생을 사는 힘이 될지 누가 압니까?"

- 드라마 〈구르미 그린 달빛〉 中

아주 인상 깊게 본 드라마의 한 장면이다. 별생각 없이 드라마를 보다가 마음이 스스로 민망할 정도로 뜨끔 했었다. 이와 비슷한 결의 생각을 살면서 단 한 번이라도 한 적이 있었던가 하는 의문이 들어 지나온 삶에 대한 회의감마저 들었기 때문이다. 사람이 사람을 사랑으로 여기는 마음을 눈에 보이고 귀로 들리는 직관적이고 결과적인 형태로만 받아들이고 있진 않았는지에 대한 후회와 오해로 얼룩진 지난 날이 그리움으로 차오르는 순간이었다.

사랑하는 누군가에게 그를 사랑하는 마음을 이렇게도 저렇게도 아낌없이 표현하며 온 마음을 다해 사랑하는 것도 사랑이지만, 그가 원할 때에 그의 손을 놓아주는 것도 사랑이다. 마지막까지 그 이의 마음을 먼저 위하며 그를 존중하고 받아들이는 마음. 그 마음 또한 참으로 소중하고 귀한 마음인 것이다. 어쩌면 사랑을 보여주려 그 만이 가진 언어로 무던히 표현하는 것보다 더욱 어렵고도 큰 사랑일지도 모른다.

매섭게도 집착을 해본 적이 있다면, 아마 그 놓아줌의 의미를 깊이 알 것이다. 경험으로부터 체득된 감정은 총탄이 표피와 근육과 뼈를 거쳐 관통하듯 온 몸의 세포를 꿰뚫어 분절된 자극마다 커다랗게 어떤 형태로든 흔적을 남기기 마련이니까.

불교에서는 모든 고통의 근원이 이 '집착'에 있다고 한다. 특정한 일에 대해 갖는 집착에서 벗어날 때 비로소 마음이 자유로워진다는 뜻이다. 그 만큼 무엇보다 정말 보내주기가 쉽지 않은 것이 이 집착이다. 만약 집착의 대상이 '사람'이 될 때, 그때가 가장 피폐하고 처참해지는 순간일 테다.

나도 나를 놓아버린 삶, 내 삶인데 나를 잃어 내가 없는 삶인 동시에 집착하는 그 대상의 삶을 살아간다. 시간은 언제나 그랬듯 똑같이 흘러가는데, 나는 그의 시간에서 살아가므로 나의 시간도 공간도 모두 잃고야 마는 그야말로 허탄한 삶이다. 놓아 버리지 않으면 끌려가는 게 바로 집착의 결과가 아닐까.[1] 무언가를 잡고 있는 힘보다 놓아 주어야 할 때, 더 큰 힘이 필요한 건지도 모른다.

1 "놓아 버리지 않으면 끌려간다" 선문답

고립(固立)되지 않기 위해

"인생의 모든 단계마다 새로운 나 자신이 필요합니다"

- 레오나르도 디카프리오

나는 이 말을 참 좋아한다. 처음 이 말을 알게 되었을 때는 '성장'이 이 문장의 핵심 주제라 여겼었다. 그러나 이 말의 의미와 의도에 대하여 찬찬히 음미하다보니, 현재의 모습에 안주해서는 안 된다는 '쇄신'의 의미를 더욱 크게 담고 있다는 결론에 이르렀다. 그 쇄신의 발현을 이루기 위서는 내게서 변화가 필요한지를 먼저 깨닫는 과정이 필요하다. 나에게 있는 모습 중 모든 모습에 흡족해하는 사람은 거의 없을 것이다. 스스로 변화하고 싶은 그 모습을 '문제 인식' 의 측면에서 바라보지 않으면 아마 특정 계기가 생기지 않는 이상 평생 바뀌지 않을 수도 있다. 내가 이에 대해 정말 진지하게 생각해 보게 된 한 계기가 있다.

일 년 전쯤의 일이다. 버스 안에서 중년 남성분이 통화 중이셨는데데, 목소리를 조금도 낮추지 않고 있는 그대로 발성으로 말을 이어가기에 정말 의도치 않게 그 내용을 엿듣게 되었다. 그 통화에는 누가 봐도 개인적인 내용이 다분했는데, 수화기 너머의 대상이 잘못한 어떤 행동을 한 것인지는 몰라도 그에게 언성을 꽤 높여 격앙된 말투로 심하게 혼을 내는 듯 보였다. 그 모습을 보며 오히려 내가 다 민망할 정도였다. 나와 비슷한 생각을 그곳에 있는 사람들도 충분히 했을 법하다. 그렇지만 대게는 흘끔 쳐다보기는 하나 별 신경을 쓰지 않고 시선을 돌리고 있을 뿐이었다. 그 일이 있고 난 이후로 '나이가 든다'는 의미를 자못 예사롭지 않게 받아들이게 되었다.

10살 때, 잠에 들기 전 나는 매일 일기를 쓰는 루틴처럼 늘 하던 생각이 있었다. (학교 숙제와 같이 여겼던 건 전혀 아니다) '음.. 10년이라. 이만하면 꽤 많이 산 것 같은데 말이지?' 지금 생각해 보면 나의 중2병은 그때부터 시작된 걸지도 모른다. 하지만 그렇게 생각했던 나름의 이유는 분명히 있었다. 시간의 흐름에 따라 나이가 드는 것이 그 당시의 내게 너무도 반가웠던 까닭이다.

그로부터 참 많은 시간이 흘렀다는 걸 알 수 있는 증거는 현재 내가 '나이가 든다'는 것이 별로 달갑지 않다고 자각함에 있었다. 나이가 든다는 말이 참 무서운 게 그 말 자체에서 그런 감정이 비롯되는 게 아니라,

나이가 드는 시간의 흐름 속에서 내가 성장하지 못하고 그 자리에 머물러 시간을 역행해 도태될까 두려워 웠던 것이다. 또한 나이가 든다는 건 앞으로 내 나이보다 적은 사람을 만날 일이 더 나이가 많은 사람을 만나는 일보다 많아진다는 뜻이다. 그 말인즉슨, 내가 그릇된 언행들을 할 때나 부족한 모습을 보일 때에 그에 대한 솔직한 타인의 심경을 들을 수 있는 확률은 점점 현저히 적어진다는 의미로도 해석해 볼 수 있다. 그만큼 나에 대해 돌아보고 깨우치고 변화하고 성장할 수 있는 상황들을 마주할 기회가 사라지게 되어 내 본연의 모습이 시간이

지날수록 곧이곧대로 드러나게 되는 일이다. 어찌 보면 참 두렵고 슬픈 일이 아닌가.

〈썩지 않기 위해〉

물은 흘러야 하고 사람은 바뀌어야 한다
썩지 않기 위해

- 청화 스님

이 말이 정말 맞는 것 같다고 크게 와닿는 순간들이 요즘 참 많다. 사람들이 나의 부족함에 대해 더 이상 언급조차 하지 않고 오히려 그 모습에 대하여 외면하고 멀어질 때, 그래서 내가 흙이 굳어져 그릇이 되듯 변할 수도 없이 굳어 완전한 형태 그대로 제자리에서 살아갈 때, 그때가 그의 인생이 '고립(孤立)'보다 더한 외로움의 굴레 속에서 '고립(固立)'된 상태에 머무르게 되는 것 아닐까 하는 생각을 했다.

건강은 건강할 때 챙긴다는 말과 같이, 습관은 습관으로 고착되기 전에 평소 나의 스치는 상념, 언행 등을 바탕으로 자연스레 형성되는 것이므로, 일상에서 나의 작은 순간들을 놓치지 않고 관찰하고 분석하여 나의 성장을 방해하는 요소들을 발견하며 그것이 오히려 내게 긍정적인 작용이 되도록 하루하루 조금씩 나를 알아채는 연습이 필요함을 느낀다. 살아가는 세상으로부터 고립(固立)되지 않기 위해.

그렇게 꿈처럼 살아간다

인생은 꿈과 같습니다.

옳고 그름, 사랑과 미움도 결국은 세월에 소리 없이 묻히고 흔적 없이 흘러가요.

아직도 내 마음을 다 갖지 못했다 오해하고 원망하나요? 사랑이 아닌 증오를 남겨서 당신을 편히 쉬지 못하게 한 건 아닐까 늘 걱정입니다.여전히 사랑합니다. 빗속에서 모든 걸 버리고 내 곁에 섰을 때 날 위해서 날아오는 화살에 몸을 던졌을 때 당신을 평생 잊을 수 없게 됐습니다.

'사랑하다'의 반대는 '미워하다'가 아니었어요. '버리다'였습니다. 나는 당신을 당신은 나를 버렸다고 여길까봐 두렵습니다. 매일 당신이 오시기를 기다립니다.

- 드라마 〈달의 연인 - 보보경심 려〉 中

드라마 속 여자 주인공이 한때 서로 사랑했던 남자 주인공에게 쓰는 인생 마지막 편지를 덤덤히 읊조리는 내레이션 장면으로 연출된다. 내용보다 그 모습이 더욱 내 가슴을 몹시도 아프게 울렸다.

평소 여러 종류의 생각이 많은 나는 내 영혼마저 우주 속 어딘가를 떠돌다 홀연히 사라져 버릴 것처럼 끝도 없는 몽상에 잠겨 버릴 때가 종종 있다. 내게 머문 그 찰나의 감정에 심장이 멎듯 숨이 턱 막히다가도 그저 하릴없이 연기처럼 흩어져 사라지는 순간들이 허다하다. 그럴 땐 그 장면을 떠올리기만 해도 가슴이 먹먹해질 만큼 이 드라마 속 대사들이 성큼성큼 발소리도 없이 내게 다가와 나도 몰래 잠가둔 마음의 방문을 조심스레 두드려 나를 깨운다.

일장춘몽. 인생이 마치 깨어나면 다 사라져 버리는 그런 꿈과 같다면, 내게 있는 사소한 걱정 하나를 끝끝내 붙들고 골몰하며 몹시도 괴로워할 필요가 과연 있을까. 아무 걱정도 않고 잘 지내다가도 찰나 동안 온 마음을 헤집고 다니는 그 걱정이란 녀석이 가끔 불쑥 나타나 아무것에도 집중하지 못하게끔 골머리를 앓게 할 때마다 그 생각을 통해 내쫓곤 한다. 갑작스러운 어떤 불행한 일이 내게 닥쳐와도, 어떤 크나큰 행운을 만나 무언가를 뜻밖에 얻게 되었을 때에도 항시 그 생각을 내게서 놓지 않는다면 나의 욕망에 의해 내 삶이 휘둘리지 않으며, 모든 순간 의연하게 대처해 나감이 가능하다는 것을 알기에.

나를 사랑하는 사람도, 내가 사랑했던 사람도, 일락도, 영예도, 내가 가진 모든 물질적 소유도, 이 세상의 끝에 서면 한낱 먼지처럼 흩어져버리고 있었던 흔적조차 없이 모두 다 떠나갈 것들이지만 '나'는 내 곁에 남아있다. 그것을 스스로가 가장 잘 알기에 인생 동안 끊임없이 외로움의 굴레 속에서 살아간다. 나를 지지해 주는 가족과 함께여도, 나를 변함없이 사랑해 주는 사람이 곁에 있어도, 마음을 나눌 수 있는 친구가 많아도 그와는 상관없이 끝없이 외로운 마음에서 벗어날 수 없다. 이 외로움의 근본 원인은 타인의 부재가 아닌 '나'의 부재이기에 그렇다. 타인이 나의 가치를 알아주지 않을 때가 아니라 내가 나의 가치를 알아주지 않을 때, 알고자 노력조차 하지 않을 때, 더욱 큰 외로움이 나를 휘감는다. 그보다 더욱 심각한 일은 나의 가치를 나 아닌 것에 투영할 때이다. 나의 자아가 부재한 삶 속에서 또 다른 나의 자아를 투영된 대상에 동화되어 살아가는 그는 이미 사소한 것에서부터 그 스스로를 속여 왔을지도 모른다. 참으로 안타까운 일이다.

나는 오늘 내 마음의 상태와 그 만의 노력과 가치를 충분히 알아주었는가. 타인을 먼저 돌아보고 그를 위하느라 외려 나를 돌아보지 못한 것은 아닌가. 혹여 내 마음마저 스스로 속여가며 타인의 가치를 나를 가치라 여기며 살진 않았는가. 나의 외부 것들을 신경 쓰며 달려오느라 수고 했다 나에게 위로와 격려의 말을 건네며, 오늘 하루만큼은 시선을 나에게로 돌려 내 마음을 알고 나와 가까워지기 위해 찬찬히 들여다보고 나를 안아주며 토닥이는 것은 어떨까?

길을 잃는 것보다 더욱 두려운 일

"참된 여행은 새로운 풍경을 찾는 게 아니라 새로운 눈을 갖는 것이다."

- 마르셀 프루스트

한달 전, 홀로 다녀온 경주 여행에서 1박2일이라는 그리 길진 않은 기간 동안 정말 무수히 많은 걸 배웠었다. 흥미로운 일은 길을 잃었던 상황에서 가장 많은 깨달음을 얻었다는 것이다. 예를 들면 지도 검색으로도 나오지 않을 아름다운 장소를 길을 헤매다 우연히 발견할 수도 있었다는 사실이다. 오히려 길을 잃음으로써, 또 다른 길을 찾은 셈이다. 종종 즐겨듣는 좋아하는 노래의 일부분이 문득 떠올라 실없이 웃음 짓기도 했다.

"길을 잃는단 건 그 길을 찾는 방법"
- 방탄소년단 〈Lost〉 中

길을 잃고 방황하며 오랜 기간을 번민함 속에서 사투하며 나아가야 할 길을 찾기 위해 고초를 겪는 일보다 더 두렵고 힘든 일은 어쩌면 어떤 길도 가보지 않아 그 수많은 선택의 갈림길에서 어디로 가야 할지 향방을 아예 모르는 것일지도 모른다. 내가 보기에 이것이 가장 빠른 길이라 생각하여 내 마음이 원하는 직감적 판단으로 행동한 것인데, 그게 아닐 때도 분명히 있다. 오히려 더 많은 길을 돌아가야 할지도 모르는 선택을 하기도 하는데, 중요한 건 돌아가야 할지도 그렇지 않을지도 모르는 온통 물음표로만 가득한 그 길을 택함에 있어 아무런 행동도 하지 않으면 정말 내 인생의 내 중요한 순간에서 찾아온 일생일대의 기회를 경각에 놓치게 될 지도 모를 일이다.

다만 길을 찾았다고 해도 마음을 놓아서는 안 된다. 내 머릿속으로 내비게이션을 펼치듯 가야 할 길을 스스로 명확히 인지하고 있다 하더라도 그 길로 가지 않고 도로 위에서 가만히 정체되어 있다면 불운의 사고가 일어날 것은 불 보듯 뻔한 일이다.

"Sometimes, you just have to take a risk"
- 영화 〈알라딘〉 中

알라딘이 하늘을 나는 마법 양탄자를 타고 자스민 공주 앞에 나타나 마법 양탄자에 탈 것을 권하며 건네는 말이다.(동화 속 대사가 내게 주는 여운이 너무도 깊게 남아 순간 속에서 늘 기억하고자 이 대사를 넣은 티셔츠를 자체 제작해 입고 다니기도 했다) 삶의 한 치 앞을 전혀 알지 못해도, 우리는 나아가야만 한다.

목적지를 정확히 알고 어딘가를 향해 가는 때보다 목적지를 알지 못해도 발걸음을 떼어 나아가야 하는 때가 우리 인생에는 훨씬 더 많기에.

타임슬립은 지금도 일어나고 있다

어떤 책인지 제목이 자세히 떠오르진 않으나, 바다에 떠다니는 작은 잔해들이 부딪히듯 사람과 사람 간의 만남이 꼭 그와 같다는 문구가 쓰여 있던 게 생각이 난다. 모든 사물의 현상은 시기가 되어야 일어난다는 시절 인연이란 단어가 불현듯 떠오르기도 한다. 정말 일어날 일은 언제라도 일어나며, 만날 사람은 무슨 일이 있어도 만나기 마련이다.

유연천리래상회 무연대면불상봉
緣千里來相會 无緣對面不相逢
인연이 있으면 천리를 떨어져 있어도 만나고,
인연이 없으면 얼굴을 마주해도 만나지 못한다.
- 한비자

이따금씩 꺼내어 보는 문장으로, 지금껏 살아왔고 앞으로 살아갈 날들의 모든 인연과 그것이 내게 닿는 의미에 대하여 진지하게 고찰해 보게끔 만드는 문장이기도 하다.

1시간이 지났는데 함께이면 그 시간이 마치 고작 1분처럼 짧게 느껴지게 하는 사람이 있고, 또 그와 정반대로 느껴지게 만드는 사람이 있다. 그건 마치 같은 시간과 공간 속에 살아가면서도 서로 다른 공간과 다른 시간을 살아가는 것과 같은 일이다. SF장르의 영화에서나 볼 법한 시간여행은 모두 먼 이야기가 아니라, 나와 가장 가까운 곳, 나의 내면으로부터 지금도 이미 일어나고 있는 일일지도 모르겠다.

나를 알아차리는 것에서부터

'나를 아는 건' 가치 있는 일이다. 나를 제대로 알아야 세상을 균형 잡힌 눈으로 볼 수 있고 내 상처를 알아야 남의 상처도 보듬을 수 있으니 말이다.

그리고 어쩌면 사랑이란 것도 나를, 내 감정을 섬세하게 느끼는 데서 시작하는 것인지도 모르겠다.

- 책 〈언어의 온도〉 中

사람마다 행복하기 위해 나아가는 경로가 저마다 제각각이다. 그리고 모든 것에는 그 현상 그 자체보다 보이지 않는 이유가 내재 되어 있다. 나는 그 무엇보다 그것을 핵심 가치로 여겨야 한다고 본다. 그 누군가를 사랑하는 이유, 그 누군가를 죽을 만큼 싫어하는 이유, 그 일을 꼭 해내고 싶은 이유 등등 각자의 삶 속에서 그 만의 가치와 각각의 사연과 이유를 품고 있다.

그 '이유'에 더욱 주목해서 긴밀히 살펴보아야 한다고 말하고 싶은 까닭은, 무의식적으로 생각하고 그 생각에 기인한 습관적 나의 행동들이 사실 내 마음이 요구하는 것과 전혀 다를 수도 있기에 그렇다. 그 행위를 통해 행복을 얻는 주체가 타인인지, 나인지에 대해 자문해 보면 예상치도 못한 아주 놀라운 사실을 알게 될 수도 있다. 예를 들면, 좋아하는 마음이 있는 누군가에게 선물을 주고 마음을 건네주는 건 그가 아니라 정작 나를 위한 행동일 수도 있는 의미이다. 보이는 그 행동

자체만을 보면 순전히 선물을 제공한 이를 기쁘게 하려는 완연한 의도로 비칠 수 있으나, 그 행동의 이유는 오직 자기 자신만 알 수 있으므로 그 행동의 원인을 먼저 내면에서부터 깊이 관찰하고 분석하며 그 원인에 대해 사유해 봄 직하다.

찰나 속에 스치는 나와 타인의 감정이 시사하는 바가 무엇인지를 알아차릴 수 있다면, 그것이 어디부터 시작되어 어디로 향하는지, 어디로 향해서 또 내 삶의 어느 부분에 관여하고자 하는지까지도 이 모든 것을 긴밀히 세밀하게도 느낄 수 있다. 이것만큼 특별한 능력이 또 없을듯하다. 현실의 눈을 마주하여 소통하는 일보다, 직사각형 네모 안으로 들어가 대화하는 것에 익숙해져 실제 감정표현과 감정반응을 구현함에 무뎌진 오늘 우리 시대 안에서는 더욱이.

나를 알아야 하는 이유를 말하기에 앞서, '나에 대한 무지가 불러오는 비극'에 관하여 먼저 이야기를 꺼내보고자 한다. 내가 매 순간 느끼는 슬픔과 기쁨, 외로움 등의 기준은 모두 나 스스로 만든 것이다. 그러니 그 감정에 해방되고자 한다면 내가 설정한 그 기준을 먼저 돌아보아야 한다. 하지만 그 기준조차 내게서 없다면 가장 첫 번째로 나의 신념과 가치관을 바탕으로 한 기준을 먼저 정해보길 바란다. 만약 그 기준이 없는 상태로 살아간다면 어떤 일이 일어날지 생각해 보라. 내 삶에 있어 무엇을 택하는 기준이 내 마음이 아니라 내가 타인의 삶에서 보기에 좋은 것이 된다. 나아가 타인은 내 생각과 신념이 곧 내가 가진 생각이라 착각하고 나와 동일시 하며 타인의 삶에 의해 결정되어 모든 선택권을 박탈당하고 행동의 규제를 받으며 끌려가는 삶이 되어 버릴 뿐이다. 그걸 깨달은 뒤에는 더 이상 온전히 내 의지와 선택으로 나아가는 나의 삶이라 보기 힘든 지경까지 이를 수도 있다. 혹여 타인의 가치를 나의 가치라 스스로를 속이며 착각 속에 살아가고 있진 않은가.

이처럼 나를 잘 모른다는 게 위험한 이유 중 하나는 바로 나의 기준이 없다는 것에 있다. 내 감정과 생각을 측정하기 위한 척도가 없으면 타인이 내게 한 말이나 행동 자체가 나라는 사람을 결정하는 잣대가 될지도 모른다는 엄청난 일이다. 나도 모르는 사이 인식하지 못하는 대상에 의해 영향을 받아 내 삶이 흘러가게 된다. 나 한 사람을 모른다는 건 정말 예사 가벼운 일로 여겨서는 안 될 일이다. 흔히들 '생각하는 대로 살지 않으면 사는 대로 생각하게 된다'는 말이 그대로 내 삶에 적용되는 셈이다.

세상에서 가장 어려운 일

"세상에서 가장 어려운 게 뭔지 아니?"

"음, 글쎄요. 돈 버는 일? 밥 먹는 일?"

"세상에서 가장 어려운 일은 사람이 사람의 마음을 얻는 일이란다."

- 책 〈어린 왕자〉 中

나는 새로운 사람을 만나고 관계를 이어갈 때마다 늘 다짐하듯 되뇐다. 가까워지기보다 멀어지지 않기 위해 노력하자고. 취미인 요가를 할 때도 늘 강사님에게 늘 듣는 말이 있다.

“다리를 많이 들어 올리는 것보다 무릎을 펴내는 것에 집중할게요.”

무리하게 완성 동작을 하려 애쓰기보다, 단일 동작을 수행하더라도 정확한 동작으로 천천히 이어가는 것이 더욱 중요하단 의미를 내포한다. 마찬가지로 사람이 사람의 마음을 얻는 것에도 이러한 이치가 유사하게 적용되는 듯하다. 누군가의 마음을 얻으려면 그 마음을 얻음에 집중하기보다, 잃지 않음에 집중해야만 한다. 하지만 슬픈 건, 이 ‘잃지 않음’의 가치를 깨달았을 땐, 애석하게도 그 깨달음을 준 대상을 이미 잃었을 때다.

그런 의미에서 내 곁에 있는 모든 유일하고 소중한 사람과 사물과 그 모든 것들이 곁에 머무르는 것 그 자체로 ’얻었다‘고 표현하는 게 맞을듯싶다. 잃지 않은 것 자체가 곧 얻은 셈이기도 하니 말이다. (내가 지금까지 살아있는 것도 목숨을 잃지 않았기에 현재를 이어올 수 있었으므로) 그러니 지금 내 곁에 있는 소중한 이와 함께임에 늘 항상 감사하며, 사랑하고 아끼는 그 모든 이들을 절대로 잃지 말길. 그 마음을 잊지 않고 간직하여 보답하는 사람이 되어 주길.

지배적 질문

우리는 자신을 인식한 방식대로, 행동한다. 이는 우주에서 가장 강력한 힘 중 하나다.

그 힘을 당신에게 유익하게 사용하도록 하라.

- 책 〈마지막 몰입〉 中

1분에 최소 1개의 질문을 던지는 〈마지막 몰입〉이라는 책을 읽은 적이 있다. 그 책에서는 내게 이런 질문을 걸어왔다. '당신의 지배적 질문은 무엇인가? 평소 이런 방면으로는 생각을 잘 해보지 않았던 터라 선뜻 답을 하긴 쉽지 않은 질문이었다. 하지만 언뜻 생각해 보면 '평소 마음속으로 어떤 질문을 가장 많이 하나요? '라는 굉장히 단순한 맥락의 질문일 수도 있겠다고 보았다. 그러고는 줄곧 자문자답을 해가며 내 마음속 물음표들이 가리키는 향방과 그 의미에 대하여 진지하게 수사(搜査)했다. 내면의 '지배적 질문'에 대한 단서를 발견할 때마다 나와 내 삶을 위한 지표가 맞는지에 대한 의구심을 품은 채로.

그러다가 정말 필연적 깨달음을 얻은 순간이 있다. 내가 평소 자주 하는 말을 스스로 돌아보며 관찰하였더니, 정말 소름 돋게 무서운 점들을 발견할 수 있었다. 첫 번째는 사람들과 대화할 때 내가 스스로 이성적인 사람임을 언급하고 있었다는 것이며 두 번째는 그 말의 목적이 실제로 내가 이성적인 사람 이어서가 아니라, 오히려 감정에 예민하여 쉽게 영향을 받는 사람이란 걸 감추기 위함에 있었다는 사실이다. 그러면서도 철저히 그 사실을 인정하지 않으려 감정적인 성향의 나를 누구보다 스스로 잘 알면서도 회피하고 외면해 버렸다는 게 더욱 충격적인 일이 아닐 수 없었다. 나는 내가 감정에 아무런 영향을 받지 않고 감정을 잘 통제하며 매우 이성적이고 냉철한 사람인 줄로 스스로 착각하고 그렇게 규정하며 내 의지로 만든 포장된 한 이미지의 나를 실제의 나인 줄로 믿고 있었던 거다. 그렇게 믿으며 살아온 이유 때문일까. 어느샌가 정말로 그런 사람이 되어있었다.

그런데 이 책을 접하면서 내 안의 작은 목소리가 어느 순간 들려오기 시작했다. '너는 그런 사람이 아니라 그런 사람이 되기 위해 스스로 학습하고 연습한 것일 뿐, 내 본연의 모습은 그런 게 아니다'라고.

내게 질문을 스스로 던지고, 나를 스스로 규정하는 단어와 문장들. 어쩌면 그 말 때문에 더욱 그러한 내가 된다. '난 이런 사람이야'라고 스스로를 어떤 사람이라 정의하면서 자기도 모르게 정말 그런 사람이 되어간다. 동시에 그런 말을 통해 자기 자신이 어떤 행동을 취하는 것에 정당성을 얻고자 함일 수도 있다.

"난 길을 잘 못 찾아" / 난 길을 잘 못 찾으니까 가는 길을 헤매느라 약속 시간에 늦더라도 네가 좀 이해해 줘

"난 직설적인 사람이야." / 평소 내가 직설적으로 말해서 네가 상처 입게 될 수도 있으니 그 정도는 감안하고 있는 게 좋아

일상생활에서 '나는 이런 사람이야'라고 말하는 이들의 말을 유심

히 살펴볼 필요가 분명히 있다. 사람들과의 대화 속에서 강물이 유유히 어디서 와서 어디로 가만히 흘러가듯 그가 말하는 게 어떤 의미도 내포하지 않은 듯 무의미성으로 느껴지기도 한다. 그러나 그가 무의식적으로 어떤 말을 말지라도 그 안에는 분명 그의 의도와 그에 기반해 이루고자 하는 목적이 있다. 사람의 입에서 나오는 말을 의인화한 속담인 '말에 뼈가 있다' 라는 옛말이 지금까지 이어져 왔다는 사실 자체가 그 말이 절대 틀린 말이 아니라는 걸 현재까지도 방증한다.

몇 번의 여름

성경에서는 사람의 인생을 잠깐 보이다가 없어지는 안개에 비유한다.[2] 내 곁의 모든 것이 영원할 것처럼 보이나, 사실은 그것들이 내게서 언제 떠나갈지도, 더불어 내가 이 세상에 얼마나 머무를 수 있을지도 한 치 앞을 장담할 수 없다. 그렇기에 미래에 대한 불확실성이 가져온 두려움의 소용돌이를 누구나 가슴속에 품고 불안히 살아가는 것일지도 모르겠다.

나는 사계절 중 여름을 가장 좋아한다. 모든 계절마다 그만이 가진

2 내일 일을 너희가 알지 못하는도다 너희 생명이 무엇이뇨 너희는 잠간 보이다가 없어지는 안개니라" 야고보서 4:14

고유한 풍경과 다채한 매력을 은밀하고 비밀히 품고 있지만 그중에서도 여름에만 느낄 수 있는 감성에 가장 이끌린다. 왠지 모를 그 계절 안의 편안함과 풋풋함이 이른 아침 물기를 머금고 숨죽인 조그마한 잎사귀에도 천연덕스럽게 묻어 있는 듯하여 그런가 보다.

살아가면서 몇 번의 여름을 더 맞이할 수 있을까 가만히 생각해 보니, 새삼 삶이 이토록 덧없이 짧게도 느껴졌다. 그러고는 내가 할 수 있는 일이라곤 매년 마주하는 여름을 기쁘게 맞이하며 두 팔 벌려 환영하는 일임을 깨닫고, 내 자신은 거대한 만물 중 가장 작고 보잘것없는 하나의 존재임을 인식하기까지 그리 오래 걸리지 않았다. 나아가 살아가는 매 순간 느끼는 온몸의 감각과 감정을 그대로 받아들이고 느끼며 주어진 것들에 감사할 수 있는 지금을 감사함으로 가득 채워가겠노라 다짐해 본다.

시작은 반이 아니라, 모든 것이다

일단 무엇이든 하기 시작하세요. 그럼 계속하게 될 거예요.
왜냐구요? 동기가 행동을 유발하는 것이 아니기 때문입니다.
행동이 동기를 유발합니다.
- 닐 파스리차

중학교 때 우연히 〈내 인생을 바꾼 마법 노트〉라는 자기계발서를 본 적이 있다. 그 책에서는 주인공이 자신의 자아를 만나기 위해서 보이지 않는 심연의 세계로 들어가서 겪는 여정을 그린 내용이 나오는데, 자아를 만나기 위해 필히 거쳐야 하는 5가지의 관문이 중 첫 번째 관문에서 '관문지기 노인'이라는 사람이 등장한다. 체스판에서 떠다니는 빛의 흐름 앞에 도미노처럼 생긴 유리 열매를 두어 그 앞을 가로막는 일을 하는 게 그의 유일한 의무다. 그가 내려다보는 체스판은 우리가 살아가는 현실 세계이며, 그 체스판에서 맴도는 빛들은 어떤 일을 시작하고자 하는 저마다의 의지이다. 그리고 그를 가로막는 유리 열매는 보이지 않는 그 세계에서 어떤 이의 빛난 의지를 막는 벽이다. 유리 열매는 사실 한낱 얇고 투명한, 툭 치면 산산이 조각나 깨져버릴 사사로운 물건에 불과할 뿐이었지만 그 앞에서 돌아가는 무수한 사람들은 그 실체를 모를 수밖에 없었고, 그때마다 관문지기 노인은 그 광경을 흡족히 바라볼 뿐이었다. 그것을 보며 생각했다. 어떤 일을 시작하려 할 때마다 얼마나 많은 순간 이런저런 핑계를 대며 되돌아 갔던가 하고. 그 막다른 길처럼 보이는 마주한 벽은 벽이 아니라 새로운 길로 나아가게 하는 하나의 통로로 위장된 것일지도 모른다.

"믿음이란 계단 전체를 보지 못해도 첫 계단을 오르는 것을 말합니다."

- 마틴 루터 킹 주니어

살아가다 보면 삶이란 인생길에서 A부터 Z까지 아주 완벽하게 준비를 해놓고 시작하기보다, 마음의 준비조차 채 되지 않은 상태로 출발선에서 발걸음을 떼야 하는 순간이 더욱 많다는 걸 알게 된다. 내가 이 일을 왜 하는지, 그를 통해 이루고자 하는 목적이 무엇인지, 이 과정을 거쳐 닿고 싶은 최종목표는 어디에 있는지 이 모든 걸 깊이 마음으로 확정하고 그 기획과 계획을 바탕으로 행동하는 것도 물론 필요하지만, 보이지 않는 내면의 모든 바람을 당장에 실천하여 시작하는 추진력도 무척이나 필요하고 중요하다. 나의 잠재된 능력과 그것이 내게 가져다줄 긍정적 결과에 따른 믿음의 여부는 결국 모든 시작점에서 내가 어떤 행동을 취하는가에 따라 드러난다.

이 책을 통해 얻은 소중한 깨달음이 나를 현재로 이끌어 왔다 해도 과언이 아닐 정도로 현재까지도 내 삶 속 곳곳에 침투해 있다. 꽤 많은 시간이 지난 지금, 무언가를 시작하려 할 때마다 망설이는 내 모습을 발견하고 보이지 않는 어딘가의 세계에서 나를 흥미롭게 바라볼 관문지기 노인을 떠올리며 망설임 없이 유리 열매를 깨고 의연히 나아간다. 그 시작을 위해 '행동'하는 힘은 정말 그 어떤 동기보다도 강력하게 오랫동안 그 일을 유지하게 하는 동력임을 확신한다.

두 달 전쯤 버스를 타고 가다가 우연히 마라톤 대회 현수막을 보았다. 평소 재밌어 보이는 일을 발견하면 깊은 생각 않고 바로 뛰어드는 편인 내게 '마라톤'이란 꽤 흥미로운 주제로 다가왔고, 그 자리에서 주저 없이 모바일을 통해 바로 마라톤 신청을 완료했다. 일단 호기롭게 마라톤 신청을 한 것까지는 좋았는데, 아뿔싸. 마라톤 신청을 했다는 걸 까먹고는 마라톤 대회를 일주일 남겨둔 시점, 집에 도착한 마라톤 이름표와 기념품을 보고 그제야 기억났다. 정말 그야말로 '대환장' 그 자체였다. 평소 너무나도 다양한 새로운 일들을 시도하는 것이 일상이 되어 버린 게 화근이었을까 싶은 순간이었다. 그도 그럴 것이, 10km, 21km 하프도 아닌, 42.195km를 달리는 풀코스를 신청했었기 때문이다.

청천벽력 같은 순간이었지만 신청 해놓고 가지 않는 건 내 마음의 도전 세포가 허락지 않아 일주일 남은 그 시점부터 천천히 연습하고 인터넷을 통해 필요한 정보를 찾아보며 나름의 준비를 이어갔다. 대회날 당일, 그 현장 가운데 있는데도 '이게 맞나….' 싶은 생각을 떨칠 수 없어 그저 헛웃음이 나왔다.

출발을 알리는 총성이 울리며 본격적인 레이스가 시작되었고, 경기 제한 시간 내에 완주만 하겠다는 마음으로 머릿속을 그야말로 텅 비우며 오로지 달리는 것에만 집중했다. 그렇게 있는 힘 없는 힘을 모두 발휘해 달리고 달린 끝에 겨우 완주를 하고 완주 메달을 목에 걸 수 있었다. 사실 풀코스 마라톤 신청을 하게 된 특별한 계기나 동기는 아무것도 없었지만 풀코스 완주를 이뤄냈다는 것 만으로 정말 그 뿌듯함과 보람은 이루 말할 수 없는 벅찬 심정이었다. 중요한 건 '일단 해보자'라는 생각 하나로 시작했다는 그것이다.

동기가 우리를 일으키고 움직이게 하는 게 아니라, 행동이 우리의 동기가 된다는 걸 몸소 깨달아 믿는다. 어떤 동기로 무엇을 시작했다고 치자, 만약 그 동기가 사라지면 어떨 것 같은가? 오히려 동기였던 것이 사라지는 순간 그것은 동기가 아니라 그 시작한 것을 인제 그만두어도 되는 마땅한 사유가 되며 그럴듯한 합리적인 핑계에 불과해질 가능성도 생각해 볼 수 있다. 혹여 동기가 있든 없든 간에 시작을 끌어낸 그 행동은 동기라는 이름의 친구를 데려온다. 그 다음, 그 동기는 끈기라는 친구를 데려온다. 마치 필요에 의해 성립된 관계가 그 필요성이 사라지면 그 관계도 사라지듯이, 특정한 동기가 나의 어떤 행동을 유발하지만은 않는다. 무언가를 해야겠다고 마음먹었다면, 그 자체로 동기는 충분하다.

그러니 지금 당장 해보고 싶은 어떤 일이 있다면, 생각을 멈추고 일단 행동을 먼저 해볼 것을 권한다. 생각이 많아질수록 행동할 용기는 점점 사라지는 법이다.

굳이

나는 고양이를 아주 좋아한다. 음 덧붙이자면 아주 꽤 많이. 최근 이사 후 집에서 가장 가까운 마트에 간 적이 있는데, 거기서 주인아주머니가 키우시는 온몸이 까만색인 고양이를 처음 만나게 되었다. 그 후로 식재료나 물품이 딱히 필요하지 않아서 마트에 굳이 갈 이유가 없는데, 그 고양이를 보기 위해 갈 때도 있었다. 그런 나의 그 마음을 아는 건지, 이젠 먼저 나를 알아보고 다가와 다정히 인사를 건넨다. 이렇듯 어떤 대상에 대한 관심이 생기거나, 좋아하는 마음이 들면 그렇게 해야만 하는 다른 이유를 굳이 만들어 내기 마련이다.

"연애라는 게 내가 해도 되는 걸 굳이 상대방이 해주는 겁니다."
- 드라마 〈태양의 후예〉

대화 속 단어와 문장을 어떤 상황에서 어떻게 사용하는가에 따라 스며드는 감정의 온도가 너무나 다르다는 걸 깨닫게 해준 한 드라마 속 대사이다. 어쩌면 세상의 모든 사랑은 '굳이'라는 수식어를 문장에 덧붙임으로써 시작되었다. 대게는 괄호 속에 숨겨진 채 발현되어 의미를 확신하기 쉽지 않다는 게 흥미로운 일이다. 연락하지 않아도 되는데 (굳이) 맑은 날씨를 핑계로 대화의 장을 열고, 현재 읽고 있는 책 제목을 (굳이) 궁금해하며, 점심시간 때쯤이 되면 밥은 잘 챙겨 먹었는지 (굳이) 묻는다. 가끔은 이런 생각이 들기도 한다. '굳이'라는 말처럼 괜스레 가슴 떨리고 설레는 단어가 또 있을까 하고.

소복이 쌓인 눈 위에 정성스레 포장된 선물을 살포시 얹듯, 은근하게 마음을 전하고 싶은 어떤 대상이 있다면 그와의 거리를 좁히기 위한 시도를 '굳이' 해보는 것이 어떨까? 그 행동을 기점으로 나의 세계가 또 다른 세계와 맞닿아 이어지고 확장되는 놀라운 기적을 경험하게 될지도.

받아들이는 연습

스트레스를 줄이는 가장 좋은 방법 중 하나는 통제할 수 없는 것을 받아들이는 것입니다.

- M. P. 니어리

내가 처한 외부의 상황을 통제하고 해결하려는 건 사실 나의 내면에서부터 해결되지 않은 불안감이 내재 되어있기 때문일 가능성이 크다. 그러한 이유로 내 마음이 자꾸만 불안한 것인데, 외부적 요인들에 나의 불안을 투영하여 외부 상황 속에서 문제로 삼고 그것들을 바꾸려고 한다. 그러나 그를 모두 통제하여 변화시킨다 해도, 해소는 커녕 끊임없이 더욱 불안이 가중될 수밖에 없는 이유는 실제로 외부의 내 상황으로부터 일어난 것이 원인이라기보다는 실질적으로 나의 내면 불안을 스스로가 이겨내지 못하고, 내 마음을 다스리지 못함에 있다. 내 마음이 늘 폭풍 속 바다 한가운데 있는 듯 이리저리 휘청여 어느 곳에도 정착하기 힘든 상황이다. 나의 이 마음 하나를 다스리기 전 가장 중요하게 알아야 할 점은 바로 내 마음의 상태를 스스로 알고 나도 모르는 또 다른 나를 내 삶의 사소한 부분에서 발견하는 것에서부터 시작된다는 것이다.

인생에서는 원하든 원하지 않았든 간에 꼭 마주해야만 하는 필연적인 일들이 있다. 그리고 그것은 내가 통제할 수 있는 일일 수도, 그렇지 않을 수도 있다. 만약 통제할 수 없는 일이라면, 그때마다 그 일에 번민해하며 그것을 내 인생에서 내보내는 선택을 할 수만은 없다. 그렇게 한다면 내 곁에는 아무것도 남지 않게 될지도 모르니 말이다. 어쩌면 그 자체를 받아들임으로써 그에게서 아무런 영향을 받지 않는 게 더욱 빠르고 효율적인 방법일 수도 있다. 하지만 모든 것엔 연습이 필요한 법. 외부의 것들을 내게 받아들이기 위해서도 연습을 빼놓을 수 없다.

받아들이는 힘은 정말 그 어떤 것보다 강력하다. 돌과 스펀지를 비유해 이야기해 보고자 한다. 단단한 돌과 같은 것은 힘을 가하면 점점 갈라지고 부서져 가루가 되어 결국에는 소멸하지만, 모든 것을 흡수하고 받아들이는 스펀지는 어떤 압력을 가한들 탄성에 의해 그 스스로 원래의 형태로 돌아오는 성질을 지니고 있다. 이러한 탄성의 법칙은 정말 경이롭기까지 하다. 외부의 힘에 대해 영향을 받지만 그 힘에 의해 영구적으로 변화하는 게 아니라 일시적인 과정을 겪은 후 본래의 모습으로 돌아간다는 것. 그렇게 힘을 흡수하고 흡수한 힘을 바탕으로 다시 본래의 형상대로 돌아올 수 있다는 건, 그 만이 가진 정말 엄청난 힘이다. 얼음, 못, 파이프, 검 등등 경직되어 있는 세상의 모든 단단하고 강해 보이는 것들은 사실 가장 부러짐의 영향을 받기 쉬운 것들이다. 사람도 마찬가지. 나라는 사람의 내면이 만약 그렇게 단단히도 경직되어 있다면, 아마 얼마 못 가 금이 가고, 틈이 벌어지고 그마저도 버티지 못해 산산이 조각나는 상황에까지 이르게 될지도 모른다. 우린 그 얼마나 수도 없이 다양한 압력에 의해 깨어지고 부서졌던가. 지금까지의 딱딱하게 힘을 주어 몸과 마음이 다 굳어진 내 모습은 내 삶에서 떠나보낼 시간이다.

천천히 코로 호흡을 들이 쉬어보라. 내쉬는 숨에는 후 뱉으며 내 몸을 스스로 지탱하기 위해 무의식적으로 주고 있던 힘까지 다 풀어내어본다. 내게 맞닿아 있는 모든 걸 느끼며 그저 받아들여 보라. 이겨내려고, 견뎌내려고 애쓰지 하지도 말고 그저 한 발짝 멀어져 나를 제 3자의 시선에서 바라본다. 그리고 내가 온 힘을 다해 힘을 줘서 버텨내고 있는 게 무엇인지 관찰하며 그것이 나의 열망으로 하여금 버텨낼 만한 가치가 있는 일인지를 자각하라. 내 삶의 향로를 정하기에 앞서 거쳐야 할 과정은 바로 이것이다.

지금보다 더 행복한 삶, 내가 원하는 삶, 나의 가치를 쫓으며 사는 삶을 위해 반드시 필요한 일이기도 하다. 더불어 새로운 삶으로의 여정을 시작하기 위해선 이전의 내가 아닌 새로운 내가 되어야만 한다. 목욕을 하고 나서 전에 입었던 옷을 다시 입지 않듯.

지금의 나를 놓아 버리면, 내가 될 수 있는 존재가 된다. 붙들고 있는 것을 놓아 버리면, 필요한 것을 받는다.

- 노자

생각지도 못하게 내게 온기회를 잡기 위해, 내게 정말 꼭 필요하고 소중한 것들을 채우기 위해 지금 손에 잡고 있는 것을 놓아주어도 괜찮다. 진정 자신의 것은 언제든 자신에게 돌아오기 마련이다. 그리고 행복의 비결은 더 많은 것을 추구하는 데 있는 게 아니라, 적은 것으로 만족할 수 있는 능력에 있기도 하니 말이다.[3]

내게 오는 모든 무언의 압박과 압력을 받아들여라.
그 힘을 천천히 흡수하라.
그리고 그 힘을 당신의 것으로 만들어라.
당신만의 힘을 소리없이, 그러나 강하게 표출하라.

나의 이 글이 당신이 훗날 그 힘을 표출하게끔 만드는 원동력이 되기를 간절히 염원하며.

3 "행복의 비결은 더 많은 것을 추구하는 데 있는 것이 아니라, 적은 것으로도 만족할 수 있는 능력에 있다" 소크라테스의 말이다.

Epilogue

모든 이야기들이 '받아들이는 연습'을 하는 데에 도움이 되길 바라는 마음에서 적어 내려간 글입니다. 이야기가 하나씩 쌓여가다보니 어느새 책이 되어 있더군요. 정말 신기한 일이 아닐 수 없습니다.

처음 책 출간을 결심하게 된 계기는 찰나속에서 저만이 가진 고유의 생각과 감정을 누군가와 공유하며 마음을 나누고 싶다는 막연한 바램에서부터 시작되었습니다. 시공간을 초월해 마음을 함께 할 수 있다는 건 엄청난 일이니까요. 허나 그 목적이 '책 출간'에 초점이 있는 것만은 아니었습니다. 그보다 '책을 써내려 가는 과정에서 얻는 자아성장'을 이루고 싶은 마음이 더욱 컸던 게 사실입니다.

책 쓰기 과정을 거치며 전국각지에서 다양한 연령대와 직업군인 분들을 '책 쓰기'라는 명목 하에 알게 되었고, 그 자체만으로 내 가슴속에 울림을 주기에 충분했지요. 글을 쓴다는 것이 이토록 심장 뛰게 설레고 즐거운 일인지 정말 몰랐습니다. 정확히는 제 글을 타인에게 보여주는 일이 말입니다. 제 핸드폰 메모장에는 지금도 수많은 기억과 추억들이 숨을 죽이며 기다리고 있어요. 언젠가 세상밖에서 찬란히 눈부시도록 빛을 발해 그 누군가의 마음을 환히 밝혀줄 그 만의 염원을 담고. 그의 생명력을 틔우고 소생할 수 있는 건 오직 저만이 할 수 있는 일일 것입니다.

그것은 정말 그야말로 '생존보다 삶에 가까운 인생'으로 나아가는 새로운 길의 시작점에서 용기내어 한 걸음 발을 떼어 보는 생경한 기분이었습니다. 그 도전을 통해 얻은 결과는 비단 책 한 권의 출간만은 아닐테지요. 실은 그 과정이 더욱 빛났다 할 수 있겠습니다. 말로 다할 수 없는 그 이상의 가치를 얻으며, 내면의 성장을 이루고, 자아성찰을 통해 소중한 깨달음을 얻고 저에게서 한걸음 더 가까이 다가가게 된 계기였습니다. 시작은 모든 것이라 누가 그랬던 가요. 저의 모든 것이 된 이 시작의 발걸음을 즐거운 마음으로 한 걸음 더 내딛어보고자 합니다.

오계절의 정원

김세영

김세영

귀가 세상 팔랑거려 사기당하기 딱 좋은 캐릭터. ISFP의 성격을 가져 모든 감정에 진심이다. 험한 세상 물정 모르는 철부지 막내로 태어나 하고 싶은 건 꼭 해내야 직성이 풀리는 성격의 소유자. 대한민국 10년 차 치과위생사로 매일 아픈 환자를 돌보다가 이제는 스스로를 돌보고 싶어서 시작된 새로운 도전들. 그리고 현재 여행 전문 분야 상위 1% 인플루언서로 활동 중이며 미용계의 떠오르는 인재상이 되길 희망하며 끊임없이 공부하고 도전하며 반영구 화장 강사로 활동하고 있다.

blog: https://blog.naver.com/aksen3303

instagram: www.instagram.com/sey.___.y

1. 봄에 지는 꽃

1) 내가 저버린 민들레 화분

매일 남의 입속만 들여다본 지 10년째
입속 세상만 들여다보니 다른 세상은 어떻게 돌아가는지
알 수 없었고 더 넓은 시야를 보지 못했다.
그저 안정적인 직업이라는 이유로
엄마는 내게 치과위생사란 화분을 쥐여줬고
나는 10년의 세월 동안 묵묵하게 걸어왔는데
이상하게도 어딘가 공허하고 어딘가 씁쓸했다

10년의 세월이 아까워서 무언갈 하고 싶어도
도전하고 싶은 용기가 선뜻 나질 않았다
얻는 것보다 잃는 게 많아질까 봐 두려워서.

매일 아픈 환자를 돌보며 응대하고
예민해진 환자를 바라보며
나는 누구에게 아프다고 말하고
누구에게 기대야 할지 몰랐다
그저 스스로 위안하고 스스로 다독이며
그렇게 10년이라는 시간이 훌쩍 지나버렸다

문득, 하고 싶은 일을 하며
하루를 즐기며 행복하게 살아가는 사람들이 부러워졌다

그리고 나는 끝내 결심했다

10년을 애지중지 키워냈던 치과위생사란 화분을 내려놓기로

내가 이 일 말고도 잘하는 일이 있을까
내가 다른 일을 새로 배우며
다시 밑바닥부터 시작하는 걸 견딜 수 있을까
많은 고민과 불확신한 미래를 걱정했지만
나는 보다 더 나은 행복한 삶을 살길 바라며
무언갈 시작해 보기로 했다
이 세상에서 늦은 시기는 없고 늦은 나이는 없으니 말이다

그저 더 행복하길 바라는 내가 되길 위해
다시 초심으로 여행해 보기로 했다

그렇게 마음먹고 마지막 업무를 마치고 집으로 돌아오는 길

마음이 참 오묘하고 이상했다
후련하고 시원할 줄 알았는데
어딘가 서운하고 걱정되며 몹시 씁쓸했다

그렇게 나는 10년의 화분을 스스로 저버렸다

1. 봄에 지는 꽃

2) 그냥, 혼밥은 처음이라

퇴사하고 하루째가 되던 날,

늘 그렇듯 습관이 되어버린 기상 시간에 일어났지만

갑자기 생겨난 여유로움에 선뜻 무얼 해야 할지 몰랐다

무작정 일어나 세상 사람들이 어떻게 하루를 보내는지

궁금해져 정해진 목적지 없이 집을 나섰다

걷다 보니 배가 고팠고 나는 주변을 둘러보다

적당히 조용한 공기가 있는 한적한 곳에 들렸다

바쁜 업무로 늘 사이렌 속도로 밥을 마시다시피 했는데

그날만큼은 우사인 볼트 급으로 먹고 싶었기 때문에 김밥을 골랐다

알록달록한 재료들이 살을 비집고 나온 김밥을 집으려던 찰나,

그 조용한 공기 속에 사람들의 낮은 속삭임이 내 귀를 감싸 안았다

그리고 나는 그날따라 젓가락을 꺼내는 방법이 왠지 서툴렀다

나는 잘못한 고양이처럼 슬금슬금 눈치를 보며

물을 따르다가 넘쳐버렸고 그 흐르는 물을 닦다가

물컵을 땅에 떨어뜨렸다 온전히 고요했던 적막이 깨져버렸다

맙. 소. 사…!

내 모든 행동은 배터리가 다 된 로봇처럼 고장이 나버렸다

그 순간 어떤 시선은 나를 차갑게 바라보고
또 어떤 시선은 나를 얼어붙게 만드는 것 같았다

그리고 다시 적막이 흐르고 나를 향했던 시선에 끝에서 낮게 울리는
그들의 오늘 하루에 대한 속삭임이 내심 부러웠다
내일을 열어보며 미래를 그리는 그 속삭임에 왠지 괜한 질투가 났다

마지막 김밥 꽁다리를 양 볼 가득 입안에 구겨 넣으며
나는 길고도 불편한 시간을 피해 도망치듯 나왔다
그런데 나는 왜 도망을 간 것일까,
분명 아무도 나를 신경 쓰지 않는데 말이다

어쩌면 나는 내가 만든 열등감의 시선이 어려웠고
10년을 함께했던 나의 민들레 화분에 대한 그리움에
괜한 질투가 난 건 아닐까

적막한 공기 속에 한숨이 흘러나왔다
이 공기에 대해 당신도 혹은 나와 같은 마음일까

그냥, 혼밥은 처음이라

1. 봄에 지는 꽃

3) 마음의 환기가 주는 선물

민들레 화분을 저버린 마음을 어디에 표현할 곳이 없어서
그리움을 달랠 방법이 딱히 생각이 나지 않아서
타닥타닥 매일 아침, 밤, 새벽이고 막연하게 글을 써 내려갔다

한 자 한 자 적어 내려갈수록
무언가 마음의 정체기가 하나씩 풀어지는 듯했다

시간이 지나 나의 글이 누군가에게 힘이 된다는 것을
그 힘을 내가 가지고 있다는 것을 알게 되었다

그리고 그것이 나 스스로에게도 무언가 아주 큰 울림을 주었다
사람 마음에 힘을 실어주는 그런 사람
나도 누군가에게 아주 크고 따뜻한 울림을 주고 싶었다

더불어 그런 커다란 울림을 주기 위해
나는 조금 더 성장하고 싶었다
관련 서적을 찾아보고 공부하며
막연하게 그런 큰 힘을 가진 사람을 모방하고 따라 했다

그러면 내가 정말 그렇게 될 것 같아서
또 어쩌면 조금이라도 따라갈 수 있을 것 같아서

나만의 새로운 멘토를 정해 무작정 따라 하기 시작했고
배움을 터득하면 또 다른 나만의 멘토를 정해 쉼 없이 내달렸다
희한하게도 따라 할수록 어느 순간 나만의 특별함을 가지고 싶었고
그 특별함으로 인해 마침내 나는 나의 힘을 더욱 크게 실을 수 있는
여행 전문 분야 인플루언서라는 화분을 거머쥘 수 있었다

마음에 환기가 내게 또 다른 화분을 품게 했다

2. 가뭄 속 배움에 스며들다

1) 여행, 그리고 서해대교

태어나 처음으로 엄마와 단둘이 긴 시간 하늘을 날아
낯선 땅에 도착했다
그곳에서 다른 문화의 사람들과 소통하고
그들의 문화를 이해하는 게 참 많이 기억에 남았지만
무엇보다 더 기억에 남는 건
나는 그때 아주아주 큰 깨달음을 하나 얻어왔다는 것

말레이시아 페낭에 도착하니
우리나라 현대건설이 알고 보니 페낭의 큰 대교를 지었고
싱가포르에서 바라본 마리나 베이 샌즈는
극악의 건설 난이도임에도 불구하고
우리나라 쌍용건설이 시공을 아주 완벽하게 해냈다
그때 나는 뿌듯함과 대단함에 놀라움을 감추지 못했고
문득, 이 모든 일들은 사람이 해낸 것이라 생각하니
왠지 사람이 해내지 못할 일은
이 세상 어디에도 없을 것 같다는 생각이 머리를 스쳤다

그때 하늘에서 내리쬐는 태양만큼이나 내 가슴도 무척 뜨거워졌다

그리고 얼마 후,
무심코 본가를 내려가면서 서해대교를 지나가게 되었다
서해대교는 아빠의 손으로 일구어낸
아빠의 계절 속에 태어난 다리이다
시간이 지나 아빠는 별이 되었고
여전히 그 별은 서해대교 다리를 비추고 계신다

그래서 나는 그 다리만 지나갈 때면 저 멀리 아빠가 서 있을 것 같아
괜스레 눈물이 나 늘 고개를 떨구곤 했는데
그날은 왠지 시원한 바람이 나를 감싸 안아주길래
문득 하늘을 바라보게 되었다
아빠의 손길이 닿은 서해대교를 지나면서
나도 모르게 마음속으로 작게 읊조렸다

아빠도 이렇게 대단한 걸 해냈는데 나도 그럴 수 있겠지?

대답이라도 하듯 어두운 밤하늘엔 유독 나의 커다란 별 하나가
유난히 반짝였다
별이 유난히 반짝이던 그 시간,
결심이라도 선 듯 내 눈에는 커다란 열정이
뚜렷하게 반짝이고 있었다

2. 가뭄 속 배움에 스며들다

2) 주저하지 않는 배움

우리는 태어났을 때부터 살아가는 동안
인생의 큰 모든 부분을 배우는데
왜 작은 배움에는 주저하는지

사실 나는 내가 저버린 화분에 대해
막연하게 또다시 시작할 용기가 없었다
하지만 여행이 내게 알려준 건 나도 할 수 있다는
자신감을 깨닫게 해 주었고
나는 현실을 핑계 삼아 그동안 해보고 싶었지만
도전하지 못했던 일들을 하나씩 해보기로 했다

배움에는 결코 늦은 나이라는 건 없으니까 말이다

이제는 내가 정말 좋아하는 화분들을 하나씩 모으며 가꾸기로 했다
그 화분들을 튼튼하고 잘 기르기 위해
내가 배울 수 있는 모든 배움을
천천히 하나씩, 열정을 끌어안고 끊임없이 배워 나갔다
그 배움으로 내가 좋아하는 화분을 골라

하나의 화분에 싹을 피울 즘,

나는 또 다른 화분을 정성껏 살피고 거름을 주었다

영양제도 넣어주고 물도 꼬박꼬박 주며 애정을 주었다

때론 내 마음과는 다르게

시들어버리는 날이면 속상할 때도 더러 있었지만

그럴 때마다 더 잘 키워내고 싶은 마음이 있었기에

더 많이 배우고 찾아보며 소중하게 보살폈다

어떤 배움 일지라도 인생에서는 버릴 것이 하나도 없기에

이제는 배움에 주저하지 않기로 했다

당신도 결코 늦었다는 것은 이 세상 어디에도 없다

2. 가뭄 속 배움에 스며들다

3) Tell Me Why

좋아하는 화분을 키우니 내 머릿속은 온통 그 화분들 생각뿐이었다
그 화분들이 잘 자라기 위해 어떻게 해야 하는지 잘 몰랐지만
그저 궁금할 때마다 메모하고 찾아보고,
물어보고 늘 끊임없이 질문하고 또 질문했다

오래전 낯선 이가 나에게 나는 왜 궁금해도
질문을 하지 않느냐고 물었다
그땐 내가 참 융통성이 없었다
당신이 바빠 보이고 귀찮을까 그랬다고 이야기했지만
사실 내가 궁금하면 메모해 두었다가
한가할 때 물어봐도 그만인데 말이다
그때를 되돌아 생각해 보면 나는 그때
그것에 대해 배우고자 하는 욕심이 없었던 건 아닐까 하는
그런 생각이 무심코 들었다

어린아이가 말문이 트일 즘 왜라는 단어를 정말 많이 쓴다
우리는 수많은 질문을 통해 배우고 알게 되고
비로소 깨닫게 되며 그것들이 내 것이 된다

보다 조금 더 성장하길 바란다면
어떠한 것에 대하여 우리는 깊이 관찰하고 끊임없이 궁금해야 한다
그것이 스스로를 성장하게 만드는 비결이니까

당신이 배움에 조금 더 잘 스며들길 바라며

3. 가을의 문턱

1) 일정하길 바라는 36.5도

누군가 내게 말하길,
본인은 감정의 온도가 늘 올라갔다 내려갔다 해서 힘든데
그가 바라본 나는 감정의 온도가 크게 변동이 없는
늘 일정한 온도 같아서 참 좋다고

사실 나라고 늘 일정하게 온도를 유지하는 것은 아닌데 말이다
나 또한 사람인지라 똑같이 상처받고,
똑같은 사람의 감정을 가졌기에

나는 그저 다른 시각으로
나의 내면을 바라보는 연습을 자주 하려고 노력한다
상대방이 왜 나에게 그렇게 했는지, 왜 그럴 수밖에 없었는지,
그 이유를 상대방에게서 찾기보단 늘 나 스스로에게 먼저 찾곤 했다
그렇게 생각하고 깊이 내면을 들여다보며
성찰하는 아주 짧은 시간이 있었기에
감정의 요동은 크게 치지 않았고
오히려 더 좋은 판단을 할 수 있도록
내게 슬기로운 지혜와 현명함을 주는 시간이었다

순간에 감정을 이기지 못하고 나 자신을 옭아 먹는 감정은 내려놓고
스스로에게 한 번쯤 물어볼 수 있는
그런 시간을 가져보아도 좋을 것 같다

그가 내게 왜 그래야만 했었을까라고

3. 가을의 문턱

2) 단 한 순간에도 사랑하지 않을 수 없었다

사랑은 나도 몰랐던 수많은 감정들이 왔다 가는 것

어느 날은 절망과 슬픔 속에서 허우적거리며 눈물 안에 갇혀 버리고
어느 날은 분노와 배신감으로
스스로를 낭떠러지로 밀어 버리기도 하고
그러다 또 어느 날은 너무 행복해서 설렘과 동시에
이 행복이 깨질까 마음 졸이는 것

그렇게 사랑은 몰랐던 나의 마음들을 들여다볼 수 있는
아주 소중한 말이다

살아가면서 참 많은 무엇인가를 사랑하게 되었고
사랑은 그런 내게 사랑 속에 감춰진
무수히 많은 감정을 배우게 해 주었다
처음 키운 나의 반려견,
그리고 학창 시절의 추억이 담긴 사라진 우리 집
그리고 어쩔 수 없이 떠나보낸 그 누군가

행복했던 순간만큼 그만한 슬픔의 무게도 견뎌야 하기에

나는 슬픔의 무게를 견딜 자신이 없어
사랑할 수 없을 것 같다고 생각했지만
사랑은 시간이 지나 과거의 그리움을 통해
그 슬픔의 시간들보다 행복했던 시간들을 더 선명하게 해 주었다

그래서 나는 그 어떤 것에 대하여
단 한 순간에도 사랑하지 않을 수 없었다

그리고 나는 오늘도, 내일도, 여전히
깊은 사랑의 감정들을 배워가는 중이다

나의 삶이 당신에게로 들어가 알게 되는 수많은 감정들을
당신의 삶이 나에게로 들어와 배우는 수많은 감정들을
그리고 그 감정들이 만나 우리의 대단한 사랑이 되는 것을

나는 단 한 순간에도 사랑하지 않을 수 없었다

3. 가을의 문턱

3) 하늘을 날아서 잡은 기회

바쁜 일상 중에 잠시 쉬어가고 싶은 마음에
무심코 내달려 도착한 강원도 영월
그곳에서 자연을 느끼며 나는 잠시 정화하기로 했다

우연히 영월은 패러글라이딩이 유명하다는 걸 듣게 되었고
바이킹도 제대로 못 타는 나는
겁도 없이 덜컥 도전해 보고 싶단 생각이 들었다

왠지 지금이 아니면 못 할 것 같아서

이유는 딱 그것뿐이었고 그 별것 없는 이유 하나로
나는 패러글라이딩을 찾았다
영월 산꼭대기로 올라갈수록
내 팔의 솜털은 바짝 서고 내 심장 박동은 안절부절못했다

오래전부터 나의 버킷리스트였지만
무수히 많은 핑계들로 시도조차 하지 않았다
그런 나를 되돌아보며 영월의 하늘과 시내를 바라보았다

이 세상 아무리 무서운 게 많다 해도 도전하는 자세가 참 용기 있고
멋진 일이라고 스스로 생각이 들었다
그리고 나는 마침내 발을 동동 구르며 낭떠러지를 향해 달려 나가
그렇게 영월의 하늘을 비로소 날 수 있었다

시작이 없었다면 그 예쁘고 황홀한 순간을
아마 영원히 보지 못했을 뻔했다
기회는 언제 어디에서나 늘 주어지는 게 아니듯

그 이후로 나는 내게 오는 기회들에 대해서
단 한 순간도 뿌리치지 않고
그 기회를 꼭 쥐어 잡고 발판 삼아 내 것으로 만들려고 노력했다

좋은 기회가 왔을 때 내가 그 기회를 잡는 것
그래서 나는 앞으로도 좋은 기회가 주어진 곳으로
망설임 없이 성큼성큼 다가갈 것이다
그리고 시도하고 부딪혀보고 끊임없이 도전해 볼 것이다

4. 눈이 오는 날은 더 따뜻하다

1) 잘한다 잘한다 자란~다!

막연하게 달리기만 하다 보니
때로는 예뻤던 구름조차, 때로는 상쾌했던 공기조차
그런 작은 것들까지 보지 못하고 지나칠 만큼
오직 한 곳만 바라보며 달려왔는데 문득 너무 숨이 찼다

내가 걸어가는 길이 맞는 길인지
내가 향하는 방향이 옳은 방향인지
내가 하고 있는 게 잘하는 게 맞는지
잠이 숨을 고르는 사이
문득 내가 하는 모든 것에 대한 회의감이 들었다

터덜터덜 집으로 가는 길목을 걷는데,
뜻밖에 남편이 마중을 나왔다
저 멀리 남편이 생글생글 웃으며 내게 다가와 건넨 한마디

오늘도 진짜 진짜 고생했고 잘했어!
그래서 오늘 하루는 뭐하고 예뻤어?

그 순간 '픽' 하고 웃음이 터져 나왔다

나는 오늘 세상에서 가장 든든하고 따뜻한 응원을 들었고
그 순간 내게 다가왔던 회의감은 어디론가 감쪽같이 사라졌다

나는 내가 잘하는 게 딱히 없고
나의 능력이 한없이 나약하고 작은 존재라고 생각했으며
특별한 능력도 없는 내가 무언갈 잘할 거란 생각은
전혀 생각하지 못했다
그런데 아니라는 걸 깨닫게 된 건
오직 누군가의 진심 어린 응원이었다

잘해보려고 하다 보니 잘하게 되고
잘하다 보니 원했던 목표에 대해 한층 더 앞으로 나아갔다
그런 과정 사이사이 잘한다 잘한다 누군가 응원해 줄 때마다
내 꿈과 열정은 성큼성큼 자라났다

나도 당신의 꿈이 예쁘게 잘 자라길 희망하며
오늘도 애썼고 참 고생한 당신에게 진심으로 응원해 주고 싶다

잘한다 잘한다 자란~다!

4. 눈이 오는 날은 더 따뜻하다

2) 시험을 기회로

시험장 가는 날은 이상하게도
꼭 날씨가 춥거나 비가 오거나 눈이 내렸다
내가 꼭 바쁠 때 새로운 임무를 맡게 되거나 일거리가 늘어났다

지금도 충분히 버거움이 느껴지곤 하는데
자꾸만 무언가 내가 해야 할 일들이 많아지니
왜 하필 지금이냐며 무언가 피로감이 더욱 몰려왔다

제발 나를 그만 시험에 들게 하라며 중얼거리곤
나도 모르게 한숨이 나왔다

나와 또 다른 내면의 나와 매일 싸움의 연속이었다
어느 날은 괜히 칭얼거렸다가도
어느 날은 마음을 다시 잡아보기도 하며
그런 하루하루를 되도록 내게 주어진 기회라고 생각하며
맡은 임무와 많아진 할 일에 대하여 꾹 참고 견뎌보기로 했다

그리고 지금, 이 순간 그 시간을 되돌아보니

그때 그 순간 내게 다가온 일들이 버거워
그 무언가의 기회를 놓쳤다면
지금의 자리에 올라서기까지
더 긴 시간이 걸리진 않았을까 하는 생각이 든다

노력하며 간절한 사람에겐 반드시 기회는 주어지는 법인데
그 기회는 때로 힘든 순간에도 찾아오길 마련이다

주어진 기회에 대하여 힘들어하기보다는
감사한 마음으로 다가온 기회를 놓치지 않길 바란다
하루하루 불어나는 산더미 같은 일들을
매일 밤, 잠 못 이루며 마무리해야 했던 나의 새벽
모두가 잠든 그 고요한 시간에 나는 달만큼이나 눈부신 꿈을 꾸었다
나의 최선의 노력이 최고가 되길 희망하며

어디선가 잠 못 이루고 있는 당신의 최선의 노력이
훗날 반드시 최고가 되어있길 바라며

4. 눈이 오는 날은 더 따뜻하다

3) 인생 루틴 습관

겨울방학 때 수도 없이 그렸던 동그라미 원형 시간관리표
동그라미 안 24시간 중 대부분은 잠자기, 놀기, 밥 먹기
그리고 그릴 때만큼은 할 수 있다고 자신만만했던
한 시간 스케줄의 방학 숙제하기
방학 기간 동안 잠자기, 놀기, 밥 먹기는
누구보다 열과 성을 다해서 잘 지켰는데
고작 하루 중 한 시간이었던 방학 숙제는
기가 막히게 안 지켜서 학교 가기 전날 밤
겨울방학 숙제를 몽땅 쌓아두고
내가 왜 그랬을까 하면서 울며 겨자 먹기 했던 지난날

그때는 몰랐다
그 원형 시간관리표가 인생에서 얼마나 중요한 역할을 하는 것인지
그 동그라미 시간관리표가 내 인생을 바꿀 수 있는
대단한 배움이었다는 것을

나는 굳이 요즘 유행하는 MBTI로 따지자면
ISFP의 성향을 가진 사람이다

극도로 계획적이지 못한 성향을 띠고 있으며
특히 장기적인 계획을 수립하고 지키는 부분에서
가장 어려움을 겪는 것 중의 하나이다

그런 내가 초등학교 방학 숙제로 그렸던
원형 시간관리표를 다시 그려보기로 했다
어떠한 사소한 것일지라도
내가 매일매일 지킬 수 있을 만한 것들을 적어나가기 시작했고
나중에는 내가 추구하는 목표에 대해
노력하고자 했으면 하는 부분들도 적어나가기 시작했다
그리고 가장 잘 보이는 곳에 붙여놓고
매일매일 실천 여부를 체크했다

그때 했던 습관들을 가져와 성인이 되어서도 한다면
인생에서 아주 중요한 인생 스케줄 관리를 배우는 것인데
비록 조금은 늦었지만
나는 다시 한번 나의 인생 스케줄을 차근차근 적어나가 보려고 한다

내가 실천하는 하루의 조각이 모여 일 년이 되고
그 일 년의 조각이 모여 나의 인생이 되는 것처럼
당신의 알차디알찬 오늘날이
먼 훗날 아주 소중하고 찬란한 시간으로 부디 기억되길 바라며

더욱 빛날 인생을 그리기 위해

지금 동그라미를 먼저 그려보는 건 어떨까?

5. 나의 오계절에 정원이 피었다

1) 진품 명품

남편이랑 우연히 백화점을 방문했는데
유난히 줄이 길었던 샤넬 그리고 에르메스 매장
그 줄을 바라보며 내심 부럽기도 하면서
수많은 생각들이 스쳐 지나갔다

언젠가 남편이 내게 말하길
아무리 비싼 명품을 들어봤자
그 사람이 명품이 아니지 않으냐고 말을 했었다

생각해 보니 많은 사람들은 명품에 대해 갈망하며
그것을 가지기 위해 부단한 노력도 한다
명품이라는 자체는 가치가 높고 그 희소성이 굉장하다
그래서 사람들은 더욱 갈망하지만 때로 안타까운 적도 몇 번 있었다
예를 들면 과시욕을 들 수 있겠다
좋은 차를 타고 다니지만, 내면 인성은 아주 바닥이었던 사람들
좋은 백을 들고 다니지만,
그만한 여유의 능력이 안 되면서까지 과시욕이 필요했던 사람들

생각해 보면 명품을 주렁주렁 내 몸에 걸친다고 해서
내가 그만한 명품의 가치가 되는 건 아닌데 말이다

모든 최고의 명품 브랜드가 어떻게 태어났을까
무심코 생각해 보았다
이름만 들어도 최고의 명품이라고 불리는 샤넬,
그리고 에르메스 등등
이 모든 명품들의 희소성과 가치는
부단한 노력이 뒤에 따랐기에 가능한 일이었다

내 몸에 명품을 걸쳐
그 명품의 가치로 나를 표현해 주는 역할이 아닌
스스로부터 명품의 가치를 만들고
그 명품은 나를 뒷받침하는 보조적인 역할이 되길 바란다
명품에 얽매이는 삶보다는 명품의 가치를 뛰어넘는 삶을 위해
나 자신부터 명품의 가치가 되는 삶을 살길 바란다

명품의 가치보다 당신은 더 큰 가치가 있는 사람이기에

5. 나의 오계절에 정원이 피었다

2) 꿈을 꾸며 꿈을 이루며

짧으면 짧고 길면 긴 시간 동안 차곡차곡 화분들을 모아 왔다
오늘은 문득 내가 얼마큼 달려왔는지
되돌아보는 시간을 갖고 싶었다

책장에 쌓인 수두룩한 자격증과 상장들
그리고 지금 서 있는 나의 위치
1년간의 결과물들을 바라보면서 나도 모르게…
크… 나 진짜 멋지네…!! 라며
그동안 고생한 내게 해 줄 수 있는 가장 멋진 말을 해주었다

스스로 혼자 말하면서도 기분이 절로 좋아졌다
내 말을 듣고 있는 내가 또 기분이 좋아지고
결과물들에 대해 두 눈으로 확인하니
정말 짜릿했고 그것들을 하나씩 만져보고 나서야
진짜 해냈다는 뿌듯함이 밀려왔다

이 모든 화분들을 모으기 위해 간절히 바라왔고
부단한 노력을 끊임없이 해왔다

하나의 화분이 만들어질 때마다
그 행복감과 희열은 이루 말로 표현할 수 없었다
그 하나하나의 화분들이 모여
어느덧 나만의 계절에 정원을 꾸릴 수 있게 되었다
어떤 향기로 피워낼지 아직도 여전히 많은 고민 중이지만
확실한 건 나의 향기로 당신의 계절에
정원을 꾸릴 수 있도록 도움이 되어주고 싶다

그리고 오늘 이 책을 보게 된 당신 덕분에
나는 또 한 번의 내 꿈이 이루어졌다

당신은 때로 나의 꿈을 이루게 해 주기도 하고
나 또한 때로 당신이 꿈을 꾸는 동안
나의 포근한 이불을 덮어주고 싶다

지금껏 부단한 노력으로 열심히 달려온 당신아
참으로 대단하고 멋지다 정말로 기특하고 애썼다
나는 당신이 해낼 줄 알았다

5. 나의 오계절에 정원이 피었다

3) 정원이 모여 만든 향기

나는 신발 끈을 꽉 쥐어 잡고 튼튼하게 잘 동여맸다
이제 달릴 준비는 끝냈고 더 멀리 뛰어가기만 하면 된다
인생은 한 치 앞을 내다볼 수 없을 만큼
끊임없는 도전과 고난의 연속이겠지만
도착 지점에 도착해서 안주하기보다는
새로운 지점을 만들어 계속 내달리는 내가 되고 당신이 되길 바란다

우리가 인생의 끝자락에 왔을 때
스스로에게 나 정말 눈부시게 인생을 잘 살았다고
말할 수 있는 날이 올 수 있도록
먼 훗날 세상과 등지고 눈을 감을 때에도
후회 없는 그런 날을 맞이할 수 있도록 소망해 본다

이제 앞만 보고 열심히 달릴 당신에게 말하고 싶다

보이는 곳에서도 보이지 않는 곳에서도
내가 당신과 함께하길 바라며

언제나 당신을 응원할 것이다
당신은 잘 해낼 수 있고 반드시 그럴 것이다

나와 당신의 정원이 모여 세상에 선한 영향력이 있는
진한 향기를 피울 수 있길 소망해 본다

엄마, 나는 다시
나의 삶을 시작하려합니다.

유도담

유도담

94년생 평범한 30대 여성으로 살고있다. 학창 시절 책 읽기와 글쓰기에 빠졌고, 언젠가 글을 쓰는 작가가 되고 싶다는 꿈을 가졌다. 엄마의 죽음을 계기로 나의 인생의 전환점을 맞이했고, 그때 괴로웠던 나의 심경, 그리고 엄마에게 못다했던 말을 전하고 싶어 글을 쓰기 시작했다.

Chapter 1. 마지막과 마주하다

9월 25일 엄마가 돌아가셨다. 장의사들이 엄마의 시신을 가지고 나간 후에 우리 가족은 큰 충격에 빠져 있었다. 4년간 유방암 투병을 한 엄마가 뇌 전이 판정을 받은 지 1주일밖에 되지 않았기 때문이다. 서울에서 치료 포기를 하고 고향으로 구급차를 타고 내려오는 2시간 30분 동안 나는 내게 말했다. '오늘이 마지막일지 몰라. 지금, 이 순간을 기억하자, 나는 다시는 엄마를 볼 수 없을지도 몰라'. 계속해서 스스로 되뇌었다. 내려오는 구급차에서 엄마의 죽음을 받아들일 때가 온 것을 숱하게 짐작했던 나지만 넘어갈 듯한 숨소리, 꺼져가는 엄마의 모습을 바라보는 것은 내 마음에 일어난 대학살과 같았다. 어쩌면 죽음의 과정을 사정없이 눈으로 지켜 봐왔기 때문일지도 모른다.

장례는 다음날인 26일 새벽 6시부터 있을 것이다. 집으로 돌아가 나는 남편과 함께 한참을 누워 휘몰아치는 감정을 누그러뜨리려 애썼다. 다음날 있을 장례를 잘 치르기 위해 평정을 생각하며 심호흡을 했지만 소용없는 일이었다. 언제 잠들었는지 모르게 4시간을 자고 일어난 후 비현실적인 상황들이 느껴졌다. 지금부터 엄마가 없는 삶을 시작하는 첫 번째 날이다. 엄마의 장례는 아빠의 후배가 운영하는 장례식장에서 진행되었다. 조문을 온 손님들에게 줄 음식, 영정 사진으로 고를 엄마의 환한 웃음이 담긴 사진, 아빠를 포함한 나와 남동생 그리고 남편의 지인에게 부고 소식을 알릴 문자까지 준비했다. 정신을 다잡기 위해 찬물을 들이켜고, 심호흡한 후 조문객을 맞이할 준비를 했지만, 이곳에 있는 것이 믿기지 않았다.

엄마의 입관식이다. 분명히 기억나는 것은 편안하게 잠든 듯한 엄마의 얼굴, 그리고 어울리지 않는 촌스러운 붉은 립스틱, 가지런히 모은 뻣뻣한 두 손이다. 생전 튀는 색을 싫어해 붉은 립스틱을 바르지 않았던 엄마였던 터라 지우고 다시 바르고 싶은 마음마저 들었다. 마지막으로 입관 전 고인에게 한마디씩 하는 순서가 왔다. 너무도 애통하게 우는 외할머니의 모습을 보고 있자니 어떤 말도 할 수가 없었다. 이런 엄마의 모습을 차마 볼 수 없었던 아빠는 혼이 나가 대기실 의자에 앉아 고개를 박고 축 처져 있었고, 어린 막냇동생은 장례지도사를 도와 엄마의 머리를 잡고 끝까지 모든 과정을 지켜보았다.

다음으로 기억하는 것은 입관까지 엄마의 모습을 끝까지 보기 힘들어 대기실과 영안실을 왔다 갔다 했던 나의 모습이다.

입관식을 마친 후 나와 가족은 지하에 있는 장례식장 접객실로 내려왔다. 명절 전이라 그런지 오전부터 많은 조문객들이 방문했다. 상주로서 처음 치러본 장례의 과정은 생각보다 상실을 직면 할 시간이 없었다. 물품 확인과 조문객 맞이, 그리고 음식이 들어올 때마다 사인해야 하는 통에 잠시나마 생각이 떨쳐졌다.

Chapter 2. 분리된 성인의 삶

엄마가 세상을 떠난 지 이틀이 지났다. 나는 여전히 멍하고, 슬픔 속에 있다. 손님을 맞이하기 위해 그리고 엄마를 잘 보내주기 위해 식사를 해야 했지만, 식욕이 생기지 않아 식사를 건너뛰었다. 상실감을 느끼면서 끔찍한 절망에 빠져 있지 않았고, 엄마의 가르침 대로 손님들에게 예의를 갖추고 주변을 배려하려 애썼던 것이 내가 관찰했던 나의 모습이다. 나는 어떤 힘든 상황에서도 자신의 역할과 맡은 바를 책임감 있게 수행했던 엄마를 사랑하고 존경했다. 그녀는 항암 중에도 일찍 가게에 출근해 살피곤 했다. 유방암 판정을 받기 전에도 누구보다 먼저 출근하고 마지막에 퇴근하는 그런 사람이었다. 그런 엄마가 이렇게 허무하게 돌아가실지 누가 알았을까? 나는 존경을 느끼면서도 나의 삶에 큰 부분을 차지했던 엄마의 빈자리가 혼란스러웠다. 무엇을 해야 할지 알 수 없을 때, 엄마가 자주 하던 말이 가슴 속을 가득 채웠다. "운다고 해서, 주저앉아 있다고 해서 해결해주는 사람은 없다. 결국, 나의 몫이고 내가 해야 할 일을 찾아서 해야 한다."

엄마를 보내기 전 마지막 12시간은 나에겐 최악의 순간이었다. 한 차례 받았던 방사선 치료와 마약성 진통제가 우리가 대화할 수 있는 순간을 박탈했기 때문이다. 나를 알아보지 못했을 때도 계속해서 엄마의 손을 잡고 곁에 있었음을 거듭 마음에 새겼다. 엄마의 죽음은 본인에게는 해방이었다. 극심한 고통으로 인한 섬망 증세, 항암으로 생긴 계속되는 메스꺼움, 사랑하는 가족과 친구들에게 마지막을 고해야 하는 순간으로부터의 해방이다. 그리고 나에겐 몇 년 동안 지켜보는 것 외에 아무것도 할 수 없는 무력감으로부터의 해방이었다. 내게 힘없이 안기던 엄마의 모습, 희미한 숨소리, 체온 이 모든 작별의 장면이 내 머리에 떠오른다.

지금 나는 30살이지만, 아직도 인생에 배울 것이 많다. 주로 부모의 그늘 없이 독립적이고, 분리된 성인으로 어떻게 살아갈까에 대해 배워야 한다. 나는 수능을 본 이후부터 학비, 생활비를 받지 않고 모든 것을 스스로 해결하려 애썼다. 그러나 성인으로서 정서적으로 독립한 채 살지는 않았다. 나는 중요한 순간 부모의 결정에 따르는 사람이었다. 남들은 나를 독립적인 사람으로 보지만 안타깝게도 나는 절대로 독립적인 성인으로 살지는 않았다. 4년간 타지에 있던 시간을 제외하고 엄마 가게에서 함께 열심히, 때론 부딪치며 일했다. 가게에는 5명의 직원이 있었지만 나는 오전에 엄마와 같이 출근하고, 주방, 홀, 카운터까지 매 주말, 휴일을 제외한 평일을 같이 가게에서 지냈다. 그리고 3년 전 대학에 진학했고, 1월 6일 결혼을 앞두고 있다. 지금의 나는 30살의 나이가 되었고, 엄마는 죽었고, 처음으로 혼자 살아야 한다. 만약 내가 하루 중 재밌는 일이 생기거나 결혼 준비 과정을 이야기하고 싶을 때면 나 자신에게 엄마가 곁에 없다는 것을 반복해서 상기 시켜야 한다. 나의 외로움에 관해서 이야기하고자 하는 것은 아니다. 단지 나의 모든 경험을 엄마와 함께할 수 없다 하더라도 그것은 나에게 가치 있는 일이고, 중요한 일이며 나의 삶을 살아야 한다는 것이다.

Chapter 3. 분노

장례 이튿날 작은 외삼촌을 제외한 외가 식구들만 얼굴을 비쳤다. 엄마와 각별했던 외삼촌이었기에, 모습을 드러내지 않는 것에 걱정이 엄습해왔다. 그 순간 어디서 가져온 지 모를 파이프를 든 채 욕설을 내뱉으며 아빠를 찾는 작은 외삼촌이 보였다. 고함을 지르던 중 아빠가 보이자 멱살을 잡고 "내 동생 살려내"라는 말과 함께 원망을 쏟아냈다. 상실로 고통받고 있는 우리 가족 모두의 마음을 다시 한번 찢어 놓은 셈이다. 그는 엄마와 우리 가족에게 항상 친절했고, 부정적인 상호작용을 했던 기억은 없다. 이런 비이성적인 행동에 난 괴로웠고, 한 번도 보인 적 없던 외삼촌의 행동에 충격을 받았다. 그의 말 대로 살려낼 수 있다면 가장 살리고 싶었던 사람은 누구보다 아빠였을 것이다. 각자 가지고 있는 두려움과 깊은 어두운 면을 공유하고 보듬어야 할 가족이 관계의 플러그를 뽑는 순간이었다.

말기 암 환자였던 엄마의 치료는 갈수록 효과가 없었고, 독한 후유

증의 연속이었다. 이런 대가를 치르고 희망을 품은 채 생명을 연장하는 것이 과연 가치가 있는 일인지, 정말 엄마를 위한 선택이었는지 나와 아빠는 수없이 자문했다. 엄마의 통증을 없앨 방법이 오로지 마약성 진통제나 죽음밖에 없다는 게 얼마나 끔찍한 일인지, 옆에 있던 보호자가 아니면 아무도 그 비참함을 알 수 없다. 그리고 엄마의 죽음을 마주했을 때 이별을 알리는 전화를 거는 것은 너무나 힘든 일의 연속이었다. 어쨌거나 나는 얼마나 엄마를 사랑하는지에 대해 내가 할 수 있는 최선을 다했다. 그렇기 때문에 자신을 질책하지도 다른 누군가에게 분노를 표하지도 않았다. 오히려 그런 순간이 감사했다. 그렇다. 자책으로 끝없는 절망에 빠져 타인에게 지울 수 없는 상처를 주고 계속해서 슬픔을 나열하는 외삼촌을 보며 어떻게 죽음을 받아들일 것인가에 대해 점점 생각하게 된 것이다.

외삼촌이 휩쓸고 간 장례식장에서 나는 찬물을 마시고 화를 식히려 의자에 앉았다. 그렇게 2시간이 지났을 무렵 친구가 조문을 왔다. 고등학교 3학년 때 같은 반으로 처음 만났고, 그 후로도 20대 철없던 시절을 함께 보낸 친구였기에, 친구의 방문만으로도 위로가 되었다. 그 친구는 나에게 위로의 말을 전하고 밖에서 널 기다리는 사람이 있으니 같이 주차장으로 가자고 했다. 밖으로 나가보니 조문을 함께 오기로 한 친구가 서 있었다. 안으로 들어오지 않고 차 옆에 서서 나를 안아주던 오랜 친구는 임신 중이기에 들어올 수 없었다. 갑작스러운 임신 소식에 놀랐지만, 어릴 때부터 지켜 봐왔던 어린아이가 어엿하게 부모의 의무를 다할 어른으로 성장한 것이 기뻤다.

조금 전까지 나는 스스로 타이르며 어른이 준 상처로부터 얼어붙어 있었다. 죽음은 남아 있는 사람의 삶을, 모든 추억을 먹어 치우는 것처럼 느껴지기까지 했다. 겨우 2시간밖에 지나지 않았을 때 들려온 친구의 임신 소식은 신에게서 오는 선물 같았다. 그 순간 친구와 아이가 건강할 수 있기를 진심으로 희망했다. 이 상황이 주는 분명한 메시지는, 죽음은 누구에게나 다가올 수 있는 것이며 동시에 또 다른 곳에선 삶이 시작된다는 점이다. 이 경험은 앞으로 나의 일상을 살아갈 수 있는 큰 위로가 됐다. 아직 내 마음속에 계속해서 엄마가 맴돌고 있다. 다시는 볼 수 없다는 것을 알고 있다. 그러나 이런 생각들이 따라오고 있음에도 불구하고, 내 옆에서 같이 슬픔을 느끼는 남편과 친구가 있어 삶에 고맙게 여겨진다.

Chapter 4. 죽음 후의 경험

엄마의 발인 날이다. 아빠는 대부분 절망에 차 있고, 체중이 줄고, 식욕도 없다. 장례비용을 지불하고 마지막 제사를 지낸 후 발인을 해야 했기에 오전부터 나와 남편은 분주했다. 그때 작은 외삼촌이 외할머니와 외숙모, 큰외삼촌과 함께 장례식장으로 들어왔다. 이미 술에 취해 들어온 터라 그날 일에 대해 아빠에게 사과하러 왔다는 그의 말에 불안함이 엄습해왔다. 사무실에서 남편과 정산을 하고 있어 무슨 이야기가 오고 갔는지는 듣지 못했지만, 나의 불안함은 현실이 되고야 말았다. 바닥에 주저앉아 우는 아빠의 모습, 엄마의 영정 사진에 휴대폰을 던지고 발인을 막는 모습까지, 동생을 사랑했던 사람이라면 누구도 그런 일을 하지 않을 것이다. 다행히 일이 더 커지기 전에 아빠의 지인들과 큰외삼촌에게 끌려가고 나서야 발인을 진행할 수 있었다.

의심할 것 없이 나와 내 가족은 그의 슬픔보다 더한 슬픔을 겪고 있다고 말할 수 있다. 모든 투병 생활을 함께 견뎠고, 수술 후에도 언젠가 전이로 인해 치료가 어려워질 것임을 알았으므로 매일매일 두려움의 연속이었다. 그렇다. 우리 모두 내가 당하고 있는 상실의 고통을 겪는 사람들이었다. 그의 행동은 단지 엄마를 더 슬프게 하고, 스스로를 절망에 몰아넣을 뿐이었다.

그러나 누가 얼마나 슬프든지 간에 엄마와 작별 인사를 해야만 한다. 슬픔과 불안에 사로잡히지 않고, 자신의 삶에 최선을 다해 사는 것만이 엄마가 바라는 일일 것이다. 이런 생각들로 마음을 다독이며 추모공원으로 향했다. 화장하는 시간은 생각보다 길었다. 기다리는 동안 유자차를 마시며 바깥 공기를 쐬었지만 답답함은 좀처럼 내려가지 않았다.

화장이 끝나고 봉안당에 안치한 후 집으로 돌아왔다. 어디를 가나 엄마를 연상시키는 물건들이 앞을 가로막는다. 거실을 보면 많은 약이 테이블 위에 있다. 옷 방에는 엄마의 옷, 그리고 휴대폰이 있다. 이것들을 어떻게 할 것인가? 다 둘러본 후에야 남동생, 남편과 함께 모든 물건을 정리했다. 나중에 치우면 차마 정리하지 못하고 보고 싶지 않을까 하는 생각에 모든 흔적을 버렸다.

Chapter 5. 경험으로 애도하기

내 방엔 어릴 적 엄마와 함께 찍은 사진이 있다. 처음엔 그 사진을 보기 어렵지 않았지만 많은 그리움과 아픔의 시간을 한 달 정도 보낸 후엔 더는 꺼내 보지 않았다. 한 사람의 죽음 후엔 처리해야 할 일이 생각보다 많다. 정리하고 처리해야 할 서류도 많았지만, 무엇보다 나의 건강 악화로 인한 수술이 더 걱정이었다.

엄마가 돌아가시기 3주 전 갑자기 엄마는 나를 데리고 산부인과에 가셨다. 늘 자신과 같은 병을 얻게 될까 걱정하셨던 엄마였기에 순순히 병원으로 향했다. 검사는 간단했다. 늘 2년에 한 번 해왔던 자궁경부암, 난소암 검사였기에 별다른 이상 없을 것으로 생각한 채 검사 결과를 기다렸다. 며칠 후 병원에서 연락이 왔다. 자궁경부 이형성증이 발견돼 조직검사가 필요하다는 것이다. 그 순간 '나 또한 암이면 어떡하지'라는 생각에 당황스러웠다. 어쩌면 나의 증상을 지나치게 생각한 걸지도 모른다.

며칠 후인 10월 14일 조직검사 결과 자궁경부 상피내암종을 판정받았다. 흔히 제자리 암이라고 부르며, 암이 아직 주변 조직으로 확산하지 않은 상태를 말한다. 아직 주변 조직이나 림프로 확산하지 않았기 때문에 예후가 좋아 간단한 수술로 치료 가능했지만, 암 투병한 엄마의 장례를 치른 지 얼마 안 된 후라 불안하지 않은 것이 오히려 이상했다. 진단을 받은 후 30분가량 나와 남편은 서로 아무 말을 할 수 없었다. 나는 두려웠지만, 최선을 다해 치료에 집중해야 한다.

그 주 일요일, 나와 남편은 입원해 다음 날 있을 수술을 기다렸다. 병실에 있기 심심해 병원 1층에 있는 카페에서 남편과 함께 커피를 마셨다. 카페에선 남편이 주변 지인들의 재미난 이야기를 들려줬다. 그의 말소리는 불안함에 맞서는 약간의 여유이자 즐거움이었다. 그 순간 같이 있어 다행이란 생각마저 들었다. 그렇다. 지금 내가 해야 할 일은 오로지 나의 편인 그와 함께하기 위해 무사히 수술을 끝마치고 나오는 일이다. 나는 나를 걱정할 가족과 친구를 위하여 그리고 나 자신을 위해 가능한 한 긍정적 다짐을 축적해야 한다.

다음 날 수술 당일, 지금이 제일 뒤숭숭한 때이다. 자정 이전에 들어가기로 했던 수술이 늦어져 오후 1시 반까지 대기해야 했기 때문이다. 길어진 대기시간으로 나의 심장은 쿵쾅거렸다. 오히려 수술실에 들어가는 것이 맘 편하겠단 생각마저 들었다.

이런 생각들을 이어가던 때 드디어 내 차례가 됐다. 침대에 누워 수술실로 이동하며 난 깊은숨을 내쉬었다. 옆에 남편이 있었지만 긴장되는 건 똑같았다. 아마 수술실로 이동하던 순간 엄마도 이런 기분이었을까? 내가 경험하고 있는 순간들은 엄마의 심정을 상기시키기 충분했다.

수술실 문을 통과하는 순간, 피부에 닿는 차가운 공기에 나는 겁을 먹었다. 30분 만에 끝나는 간단한 수술이라는 의사의 말에도 내 안은 불안으로 가득 찼다. 수술대에 오르면서 심장은 더 빨리 뛰었고, 점점 긴장됐다.

의료진들은 예의 바르고, 효율적으로 준비했다. 나는 수술대에 누워 마취제를 맞았다. 주사약은 천천히 내 몸속으로 흘러 들어갔다. 또렷하게 들리던 의사의 목소리가 흐릿해지고 난 회복실에서 눈을 떴다. 수술이 무사히 끝난 것을 확인한 순간 나는 감사했다. 그리고 동시에 엄마의 심정을 잠시나마 이해할 수 있었다.

엄마는 유방암으로 왼쪽 가슴을 전절제하는 수술을 받았다. 수술이 끝난 후에도 8차의 항암을 또 받았다. 잠깐의 수술에도 이렇게 두려운데 엄마는 오죽했을까 하는 생각이 들었다. 이런 본능적인 공포는 아마 내가 직접 경험해보지 못했다면 알 수 없었을 것이다.

한 달 전 나는 당장 해야 할 일과 현실에 묶여 일어나지 않을 일들에 대해 염려했다. 특히 다른 사람과의 비교로 스스로를 힘들게 하는 일도 적지 않았다. 그러나 지금은 그런 생각들로 나를 괴롭히지 않는다. 내게 일어난 두 차례의 경험 덕분에 삶은 누구에게나 유한하고 그 끝이 있다는 것을 알게 되었기 때문이다. 그리고 무엇보다 나는 내가 건강하고 행복하길 희망한다.

Chapter 6. 함께 한다는 것

3일의 입원 후 퇴원을 하고 이틀이 지난 후 웨딩 촬영을 진행했다. 촬영은 너무도 즐거웠고, 내가 어떤 환경이든 간에 옆에 있어 준 남편이 있어 앞으로의 우리의 모습이 어떨지 궁금해지기 시작했다. 한편으론 집으로 돌아왔을 때 오늘 촬영이 고됐지만, 행복했었다는 이야기를 엄마에게 할 수 있다면 얼마나 좋을까 상상했다.

웨딩 촬영이 끝난 후 나와 남편은 제주도에서 주말을 보냈다. 토요일에는 어머니와 만나 근처 식당에서 밥을 먹고, 서로의 안부를 물었다. 우리의 식사가 끝나갈 때쯤 어머니는 어디서 따왔는지 모를 무화과를 반으로 쪼개 나눠 주셨다. 별다른 말은 하지 않으셨지만, 함께 음식을 먹으며 웃는 것은 내 마음에 평온함을 가져다주는 듯했다. 물론 가장 큰 즐거움은 글램핑을 노래 부르던 남편이 숙소에 도착하고 3시간 후 다시는 글램핑을 하지 않겠다고 선언한 순간이다. 오래전부터 캠핑하고 싶어 했던 터라 제주도에 가기 전부터 남편은 잔뜩 기대에 부풀어 있었다.

숙소에 가기 전 구워 먹을 고기, 그리고 회와 채소, 과일, 라면 등 잔뜩 장을 보고 주차하는 순간 우린 뭔가 잘못됐음을 알았다. 엄청난 바람에 이동하기란 쉽지 않았고, 심지어 우리 숙소 옆 글램핑장은 바람에 천장의 천막이 뜯겨 사장님은 정신이 없었다. 문제는 숙소에 들어간 후였다. 들어간 순간 습기와 곰팡이의 냄새가 섞인 공기가 코를 찔렀다. 실내 공기는 너무 추웠고 밖에 있는 화장실은 좁은 냉장고에 들어간 기분마저 들게 했다. 화가 난 내 표정을 읽었는지 회를 꺼내 세팅을 한 후 남편은 서 있는 나를 앉혀 먹게 했다. 종종 화가 난 나를 풀어줄 때 쓰는 방법이다. 습기에 찌든 냄새에 불쾌했지만, 그 안에서 먹었던 회는 여태 먹은 어떤 회보다 신선하고 쫄깃해 맛이 일품이었다.

생기 넘치는 회를 맛본 나와 남편은 바깥에서 고기를 굽기로 했다. 물론 고기를 구워 안으로 가져온 건 남편이었다. 자신의 숙소 선택 실수를 만회하기 위해 최선을 다해 구워 온 것이다. 어디서 따왔는지 모를 귤 2개와 함께 접시를 들고 온 그이가 귀여워 웃음이 났다.

바람은 시간이 지날수록 더욱더 거세게 불었고 과장을 조금 보태자면 벽면의 천막이 침대에 누워 기다린 내 머리에 닿았을 정도였다. 이 상태로 잠이 들긴 어려울 거란 생각에 근처 숙소를 예약해 남편 먼저 짐을 챙겨 주차된 차로 이동했다. 화장실을 들러 뒤늦게 따라갔던 나는 차에 그가 없는 것을 확인하곤 전화를 걸었다. 전화를 받지 않는 남편이 걱정돼, 왔던 길을 돌아 5분가량을 찾아다녔다. 그때 검은 그림자가 움직이는 것이 보였다. 설마 저 귤밭에 들어갔나 하는 마음에 남편의 이름을 불렀다. 그렇다. 그는 숙소 내 귤밭에서 양옆 나무를 오가며 귤을 따고 있었다. 뭐 하는 거냐는 나의 물음에 남편은 숙소에서 얼마 있지 않고 떠나는 것이 너무 아까워 귤이라도 챙기고 있다고 답했다.

그 순간 그가 사랑스럽고 귀엽게까지 느꼈다. 이게 그가 딴 귤과 지극히 귀여운 남편의 모습이다.

다음 날 아침, 나와 남편은 성산 일출봉에 도착했다. 입구를 따라 몇 걸음 오르다 보니 보라색 들꽃들이 어우러진 들판이 펼쳐졌다. 하늘과 바다로 에워싼 풍경과 바다가 훑고 가는 소리, 선선한 바람과 함께 쏟아지는 햇빛, 이 모든 것들이 나를 평온하게 하는 치유 같았다. 아낌없이 꽃을 피운 언덕을 오르며 보이는 암석의 장엄함은 나의 몸과 마음마저 집중시켰다.

이곳에 오기 전까지 난 내 일생에서 가장 어둡고 어려운 시기를 겪었다. 갑작스러운 수술과 엄마의 장례까지, 마음먹은 만큼 나의 일상을 찾기란 쉽지 않았다. 생각을 떨치려 새로운 운동에 도전하거나 친구를 만나며 일상을 바쁘게 보냈지만 늘 엄마가 그립고 외로웠다. 어쩌면 나는 엄마의 죽음을 온전히 인정하고 싶지 않았는지도 모른다.

엄마가 죽은 지 47일이 지난 지금, 전처럼 슬퍼하거나 분노하지 않는다. 혼란스러운 감정들도 감당할 수 있을 만큼 무뎌졌고, 남편과 마주 앉아 밥을 먹고, 웃고 보내는 현재의 삶이 만족스러웠다. 운동 후 친구와 마시는 커피 한잔, 내가 좋아하는 바지락 술 찜에 시원한 맥주를 들이켜는 주말 저녁, 이젠 즐거움을 나눌 수 있는 나의 남편, 친구들이 있어서 행복하다.

Chapter 7. 새로 시작되는 겨울

매년 돌아오는 겨울, 크리스마스, 부활절, 신년, 특별한 행사들은 모두를 들뜨게 한다. 생각해보면 나는 매해 겨울, 무기력해지곤 했다. 엄마가 암 판정을 받은 후 나의 겨울은 깊은 우울의 연속이었다. 항암을 받는 4년이 넘는 시간 동안 나는 학업과 엄마 가게 일을 해야 했고, 그 현실은 나를 지치게 했다. 그렇게 짧지 않은 4년의 세월 동안 난 상담과 개인 치료를 받았다. 물론 현재도 도움을 받고 있다. 하지만 올해 겨울, 더는 괴롭지 않고, 전처럼 무기력하지도 않다. 내게 일어난 큰 변화! 결혼을 앞두고 있기 때문이다. 어느 때보다 굉장한 기쁨을 경험하고 있다. 따듯하고 내가 존중받고 이해받는다는 느낌, 서로의 단단한 유대감을 느끼며 새 가정으로 첫 발자국을 내딛는 순간이다. 나는 한 차례 사랑하는 사람과 함께할 수 있는 시간이 제한된다는 것을 안다. 그래서 그 시간이 매우 소중한 것 또한 알고 있다. 이 사실을 아는 데는 큰 대가가 필요했다. 엄마와의 이별이 내겐 그 대가다. 모든 사람은 사랑하는 사람과 평생 함께하길 바라면서도 다가오는 죽음에 대한 고통과 상실의 아픔에 면역되어있지 않다. 나뿐 아니라 아마 대부분 사람이 그럴 것이다. 하지만 슬픔을 견디며 나의 남은 삶을 지켜야 한다.

주말 저녁 나와 남편은 다가올 크리스마스를 준비하기 위해 트리를 만들기로 했다. 크리스마스까지 보름의 시간이 남았지만 우린 '바이올런트 나잇'이라는 영화를 한 편 고르고 만들기 시작했다. 우선, 도화지를 원뿔 모양으로 말아 준비한다. 다음으로 반짝이는 모루를 적당한 크기로 잘라 잎이 될 수 있게 꼬아 모양을 만든다. 충분한 모루 잎이 만들어지면 원뿔 도화지 기둥에 붙이기만 하면 된다. 잎을 풍성하게 붙인 다음 트리를 꾸며 줄 진주 장식과 눈을 표현할 솜 등을 올려 마무리한다. 이렇게 트리를 만들고 시계를 보니 벌써 2시간이 흘러 있었다. 저녁을 먹고 가벼운 마음으로 시작했던 우리는 시간을 확인하자마자 놀라 서로를 쳐다봤다. "어쩐지 허리가 너무 아프다 했어."라고 말하며 거실 바닥에 눕는 남편을 보고 있자니 웃음이 났다.

완성된 트리는 꽤 맘에 들었다. 뿌듯한 마음에 나는 친구에게 사진 찍어 카톡을 보냈다. 보자마자 친구는 "오른쪽 트리는 현우 씨가 만든 거야?" 하는 것이다. "어떻게 알았어?" 하는 내 질문에 친구는 "꼼꼼하고 볼륨감 있게 만든 게 현우 씨가 만든 것 같아서. 네가 만든 건 트리가 아니라 드레스지."라는 대답에 남편과 나는 박장대소 했다. 그 말을 듣고 보니 트리보단 드레스에 가깝게 보이기도 했다.

Chapter 9. 사랑하는 엄마에게

사랑하는 엄마, 엄마에게 편지를 쓰기까지 쉽지 않았어요. 그러나 이 책의 마지막까지 온 지금 나의 이야기를 전하고 싶은 마음에 적어

봅니다. 엄마는 현명하고, 투박한 말 뒤에 저를 늘 걱정하고, 응원했습니다. 어린 시절부터 가게 일로 바빠, 서로를 기억할 추억이 많이 없다는 게 저를 더욱 마음 아프게 합니다. 물론 가족을 부양하기 위해 밤낮없이 일해야 했던 것을 압니다. 하지만 그 사실이 한동안 나를 죄책감에 들게 했습니다. 장례를 마친 후 당신의 옷을 정리할 때, 제대로 된 옷 몇 벌 없이 주변에서 얻어온 옷들로 가득 찬 옷장을 보고 화가 났습니다. 10년이 넘는 시간 동안 당신이 애쓴 덕분에 먹고살 만했음에도 자신을 위해 어떤 것도 사지 않는 고집이 나를 괴롭게 했습니다. 그토록 애썼던 당신의 노력이 죽음으로 돌아온 것처럼 느껴지기까지 했습니다. 한편으로는 엄마가 투병하고 나서야 온전히 얼굴을 마주 보고 이야기할 시간이 주어져서 다행이란 생각도 들었습니다. 나는 그리울 때마다 당신의 사진을 보는 것 대신 4년간의 투병 생활을 생각하곤 합니다. 그 시간은 우리 모두에게 참 힘들고 긴 시간이었습니다. 물론 희망과 절망을 반복하고 지치기도 했죠. 그 과정에서도 우린 맛있는 것을 사 먹으러 가고, 매일 함께 초록 단풍이 그늘졌던 내장산을 산책했으며, 무더운 여름 계곡물에 발을 담그기도 했습니다. 아이처럼 밝게 웃던 당신의 미소가 지금도 선명합니다.

얼마 전 당신이 암 생존 카페에 올린 글에 한 환우분이 댓글을 달았습니다. 치료를 잘하고 있냐는 안부의 글이었죠. 그 글을 본 순간 아무 말도 할 수 없었습니다. 당신은 이미 이곳에 없기 때문입니다. 한 줄기 희망이라도 잡아보려 질문하는 그분께 영영 당신의 소식을 전할 수 없겠지요. 그리고 당신이 괴로울 수 있는 일을 고백하고자 합니다. 아빠는 당신이 떠난 이후 죄책감과 고통의 구렁을 지나지 못하고 있습니다. 그는 괴롭고 대단히 외로워 보입니다. 마음을 다잡고 무너지기를 반복하며, 꽤 많은 술을 마십니다. 아마 부정과 분노 그 사이에 있는 듯합니다.

2달이 지난 지금 나는 이제야 편해지기 시작했어요. 여전히 당신이 있는 봉안당에 가보는데 용기가 필요하지만, 나의 책을 마무리하며 용기를 내려 합니다. 내가 무엇을 썼는지, 얼마나 썼는지, 그리고 어떤 마음으로 썼는지 당신께 닿지 않을 것을 압니다. 그러나 이 책을 쓰는 지난 몇 주간 나는 당신과 동행하는 기분이 들었습니다. 나의 죄책감과 괴로운 마음을 정리할 수 있는 따스한 위로가 되기도 했습니다.

당신 없는 결혼을 곧 앞두고 있습니다. 당신이 만약 있었다면 방사선 치료로 수척해진 자신의 모습을 걱정하느라 하객들 앞에 서는 것을 꺼렸겠지요. 나는 생전에도 결혼식 혼주석에 앉는 것을 염려했던 당신이 더는 이 고민을 하지 않는 것이 다행이기도 합니다. 이틀 전, 막냇동생의 생일이었습니다. 친하게 지냈던 미란 이모가 집에 와 미역국을 끓여주고 갔습니다. 이모는 당신의 빈자리를 그리워하면서 우리를 챙기는 참 감사한 사람입니다. 여전히 당신이 죽기 전 했던 약속을 지키기 위해 나와 동생, 그리고 아빠를 챙겨주고 있습니다.

이제 나는 전처럼 혼란스러워하지도, 슬퍼하지도 않습니다. "모든 일에는 다 때가 있다. 세상에서 일어나는 일마다 알맞을 때가 있다. 태어날 때가 있고, 죽을 때가 있다……. 울 때가 있고, 웃을 때가 있다. 통곡할 때가 있고, 기뻐 춤출 때가 있다."라는 말로 나의 책을 끝내려고 합니다. 나는 이제 당신이 아꼈던 친구와 새로운 가정에서 다시 시작합니다. 걱정 말고 편히 쉬세요.

지금, 여기

신유진

신유진

두 아이를 키우고 있는 엄마입니다. 일도 하면서 10여 년이 넘게 주말부부도 하고 있고요. 어느 날 잃었던 나를 찾고 싶어졌습니다. 우리는 엄마, 아내, 딸, 며느리, 그리고 사회적 지위에 따른 이름을 갖기 이전에 '나'였으니까요. 나를 찾고자 펜을 들었습니다. 이 글을 읽는 누군가의 삶이 저와 다르지 않을 것으로 생각합니다. 마음을 담아 나를 그리고 당신을 응원합니다.

1. 지금, 여기

깊은숨을 내쉬고 입술을 다물었다. 물기를 가득 머금은 신발을 추적추적 끌고 엘리베이터 앞에 섰다. 여기 오기 전에 이리저리 삐져나온 반삭의 머리를 민망하게 놔두고서 머리를 질끈 묶었다. 이 머리에 사람들의 시선이 느껴진다. 교실 바닥에 떨어져 있던 찐득찐득한 노란 고무줄을 주어 거기에 붙어 있는 먼지를 대충 털어내고 머리를 묶었다. 꼬여있는 고무줄 틈으로 머리카락 몇 가닥이 엉겨 붙고 있는지 머리카락이 당겨졌다. 그냥 둘까 하다가 계속 몇 가닥이 머리를 잡아당겨 다시 고무줄을 풀었다. 또 몇 가닥이 같이 뽑혀 나왔다. 고무줄을 입에 물고 머리를 묶었다. 머리카락이 다시 뽑혀 나왔다. 그래서 풀었다. 터벅터벅 걸으면서 몇 번이고 머리를 묶었다가 풀었다를 반복하니 여기에 도착했다. 엘리베이터 반사된 내 모습이 마음에 들지 않는다. 위로 올라가는 화살표 버튼을 누르고 몇 번이고 머리를 만지작거렸다. 내 머리카락이라도 마음대로 자르고 싶어 몇 주 전 미용실에 갔다. 염색약이 곳곳에 묻어있는 앞치마를 입은 미용사에게 반삭을 부탁했다. 오래된 그릇 냄새, 반찬 냄새, 중화제와 파마약 냄새가 뒤섞여 났다. 딱히 원하는 머리모양이 있었던 것은 아니었다. 다만 지금과 다른 모습이면 했다. 금세 이 머리가 지저분해졌다. 한숨이 절로 나왔다. 내 마음대로 되는 것이 하나도 없다. 지금, 여기. 지루한 표정의 사람들과 시선만 던져 받고 잠시 답답함과 늦여름의 습한 공기를 나눴다. 무거운 공기는 엘리베이터 문이 열리자 병원 냄새로 바뀌었다. 여기까지 오는 데 12년이나 걸렸다.

병원 '문 열림' 버튼 앞에 서 있었다. 버튼을 누르기 전에 깊은숨을 내쉬었다. 신혼여행지에서부터 한숨은 시작되었다. 그리고 숨은 깊어졌다. 나는 깊은 한숨의 근원을 몰랐다. 잃어버린 뿌리를 찾는 것처럼 간절하게 숨을 내쉬어봐도 어딘가에 남겨놓은 숨이 있는 것 같았다. 자주 그러하였다. 순간순간 숨을 쉬는 법을 잊어버린 것 같았다. 어떻게 숨을 쉬어야 하는지 몰라 답답함이 차올랐다. 큰아이가 태어났을 때 그 아이를 이불 위에 살포시 올려놓으면 배만 볼록하게 부풀었다가 줄어들고 다시 볼록한 배를 만들었다가 그렇게 일정한 간격으로 줄어들며 평온한 숨을 쉬었다. 숨이란 그렇게 쉬어지는 것이다. 한때 우리 아이처럼 바닥에 누워 보기도 했다. 하지만 이내 다 뱉어낸 숨을 바로 채워 넣었다. 그리고 생각했다. 나는 나의 인생을 제자리로 돌려놓아야겠다고……. 그런데 나는 그것이 무엇인지 모르겠다. 그래서 이제는 슬프다.

“여기에 앉으세요. 유진 씨 이야기 좀 해주세요.”

대기실에는 사람이 많다. 교복을 입은 여학생, 핸드폰만 만지작거리며 친구를 기다리고 있는 대학생, 시장바구니 들고 지루하게 앉아 있는 아줌마까지. 어떤 용기에 이끌려 여기까지 왔을까. 무슨 일이 있어서 여기에 있는 것일까. 나처럼 숨 쉬는 방법을 모르는 것은 아닐까. 상담 접수를 하고 몇 가지 검사와 설문에 답했다. 그사이 간호사가 진료실 문을 반절쯤 열고 내 이름을 불렀다. 어색한 웃음을 지으며 안으로 들어갔다. 의사가 앉아 있는 테이블 옆에는 소파가 마주해 있었다. 가운데 유리 테이블에는 각 티슈가 놓여있었다. 자리에 앉고 의사를 쳐다봤다. 의사는 간단히 이름을 물었고 잠시 나를 쳐다보았다. 의사 선생님과 눈이 마주치자 눈물이 흐르기 시작했다. 분명히 가슴이 답답하고 심장이 두근거려 그 이유를 물어보려고 왔을 뿐인데 두서없이 나의 이야기를 지껄이며 나를 토해내고 있었다. 의사는 말없이 고개를 끄덕여주었다.

“불안이요. 저는 늘 불안해요. 이상하게도 불안해서 죽을 것 같지는 않아요. 그런데 아침에 눈을 뜨면 ‘분명히 걱정거리가 있었는데……’ 이렇게 생각하면서 하루를 시작해요. 가끔은 꿈속에서도 그 불안을 느낄 수 있어요. 그런 상황에 대한 꿈을 꾸는 건 아니에요. 하지만 익숙해져 버린 불안을 자는 동안 알아요. 바로 알아차릴 수 있어요. 여기 오기 전에는 말이죠. 우리 아이 얼굴에 점이 생긴 거예요. 아이 얼굴에 있는 점이 저를 미치게 했어요. 아이를 데리고 병원에 가보려다가 이런 생각을 하는 내가 제정신이 아닌 것 같아서 여기로 왔어요. 선생님, 저 괜찮은 거 맞아요? 아니 우리 아이 괜찮은 거 맞아요?"

나는 알았다. 아이가 괜찮은 것을……. 그러나 내가 괜찮지 않다는 것을 두려움에 마주 대하지 못했을 뿐이었다.

"유진 씨. 일을 쉬어 보세요. 잘하려고 하고 모든 것을 해내려고 하는 거. 이제 그만합시다. 당장 일을 그만두세요. 육아도 시어머니나 친정엄마한테 맡기세요. 나라면 1년도 제대로 못 했을 것 같군요. 12년이나 했다니요. 직장도 엄마 역할도 다 내려놓으세요. 이제 그만합시다. 그래도 됩니다."

지금껏 열심히 달려왔다. 가족 끼니도 손수 챙겼다. 분리수거도 매번 했다. 설거지도 매끼 했다. 매일 청소도 했고 철이 되면 옷도 정리했다. 주말에는 아이들과 여행도 자주 다녔다. 시댁에 제사가 있는 날이면 퇴근하고 아이들을 챙겨 2시간이 걸려 갔고 새벽에 돌아왔다. 명절에는 스무 명이 넘는 사람들의 설거지를 했다. 남편의 외갓집 가족 모임에도 참석했다. 친정에서 우리 조카들과 놀아주고 있으면 어김없이 남편은 우리 아이들이나 잘 챙기라고 타박을 줬다. 그래도 남편 몰래 조카들과 친정 식구들도 잘 챙겼다. 갓난아이를 업고 아픈 친정 부모님을 돌보기도 했다. 휴가에는 엄마와 꼭 여행도 갔다. 자주 엄마를 돌봤다. 아이의 친구들까지 밥도 챙기고 이웃들을 집에 초대해서 음식을 자주 나눴다. 아이를 재우고 나서 새벽까지 회사와 학교 일을 했다. 주말 아침에 남편은 늦잠 자라고 아이들과 조용히 지냈다. 남편이 좋아하는 옷을 입고 외출을 했다. 싸우게 될까 봐 남편이 싫어하는 행동은 하지 않았다. 다투지 않으려고 남편이 허락해 주는 것만 하려고 했다.

그런데 의사에게 내 이야기를 토로하며 알게 되었다. 어느 누구도 나에게 이런 일을 강요하지 않았고 부탁하지도 않았다는 것을 말이다. 내가 움직였다. 이것이 주변 사람들을 익숙하게 만들어 버렸다. 주변 사람들은 내가 그렇게 하는 것을 좋아한다고 생각하는 듯했다. 사람들은 그런 나에게 익숙해졌지만 나는 그런 사람들이 싫어졌다. 나는 사람들에게 지쳐갔고 지겨워졌고 그래서 내 인생까지 지루해진 것이다. 이제는 방향을 잃었고 어디로 가야할지도 모른다. 그게 알게 된 사실이었다.

2. 결혼 놀이

"유진 씨는 가족이 어떻게 되세요? 유진 씨 가족이요. 원가족의 이야기를 들어볼까요?

"엄마, 나 결혼하고 싶은 사람이 있어."

나는 결혼에 새로운 삶을 향한 의지와 희망 그리고 설렘을 담았다.

그렇게 만들 거라는 나의 의지도 가득하였다. 사실 예전부터 집을 벗어나고 싶었다. 내가 어렸을 때 우리 부모님은 자주 다투셨다. 아빠는 엄마한테 욕을 많이 했다. 엄마는 눈물을 방패 삼아 아빠의 마음을 되돌려보려고 했지만 이내 아빠의 욕이 쏟아지고 그것은 엄마의 존재 자체를 없애버렸다. 아빠가 미웠다. 다른 이유도 있었다. 아빠는 퇴근 후에 늘 병원을 들렀다 오시고는 했는데 할아버지의 투병이 아빠에게 트라우마로 남았는지 온몸 구석구석 병을 찾는 사람처럼 지내셨다. 그래서 더 미웠다. 하지만 그럼에도 불구하고 엄마는 늘 '감사해야 해', '이것은 축복이야'라고 말했고 나에게도 강요했다. 가끔은 그런 엄마의 '감사'와 '축복'에 숨이 막혀올 때도 있었다. 그러나 엄마의 뜻에 따랐다. 눈에 비친 엄마는 불쌍했다. '해가 지기 전에 여자는 들어와서 남편의 저녁을 준비해 놓고 있어야 한다'는 아빠의 신념 때문에 엄마는 친구를 잃어갔다. 아빠는 당신이 아플까 봐 불안하면서도 엄마를 옆에 두었다. 엄마는 아빠를 떠나야 할 명분은 찾지 않고 더 간절하게 기도만 했다. 엄마의 기도는 항상 내 마음을 시리게 했다. 신을 믿는다는 것은 힘든 일을 자처함으로 이 고난을 가치 있는 일로 받아들이는 일종의 수행이라고 생각했다. 엄마의 기분을 좋게 하는 일만 생각했다. 엄마의 행복이 나의 행복이라고 생각하는 내 자신을 기특해했다.

교생실습을 하던 때였다. 집에 돌아왔는데 엄마는 아빠의 손을 잡고 기도하고 있었고 아빠는 엄마만 바라보고 있었다. 그렇게 아빠의 항암치료가 시작되었고 몇 해가 흘러 재발을 했는데 그때 역시 엄마는 더 간절히 기도를 했고 아빠는 삶의 희망을 잃어갔다. 결국 서른을

넘기기 전에 '결혼하고 싶은 사람'과 결혼을 서두르게 된 것이다. 결혼 준비 과정은 힘든 것이 없었다. 나는 이 결혼으로 엄마와 아빠로부터 독립할 수 있다는 희망을 품게 되었기 때문이다. 이제 엄마의 생각 속에 있는 그런 착한 딸이 아니어도 된다는 뜻이라 해방감마저 쟁취한 것 같았다. 아빠 손을 잡고 예식장에 들어가는 딸을 보는 것은 엄마의 감사와 축복이기도 했고 나도 그래야 엄마의 삶의 무게에서 벗어날 수 있었다.

6월 어느 날, 작은 교회에서 결혼식을 올렸다. 꿈에 그리던 결혼식 따위는 없었다. 결혼식은 내 인생의 숙제 같은 거라 시작과 함께 식이 끝나간다는 것만 중요했다. 항암제로 퉁퉁 부은 얼굴에 가발을 쓴 아빠는 옷걸이처럼 걸쳐진 양복을 입고 있었다. 아빠 팔짱을 꼈다. 아빠의 팔이 언제 이렇게 야위었을까. 아빠의 팔을 붙잡고 있어서 그랬는지 부케가 무겁게 느껴졌다. 신부 행진 전에 아빠에게 말했다. 부케가 무거우니 같이 들어달라고 했다. 아빠가 나를 빤히 쳐다보기만 했다. 거절의 의미였다. 아무 말 아무 표정 없이 바라보는 아빠의 시선이 부케에 닿았다. 아빠는 나한테 늘 그랬다. 나에게 관심도 없고 그저 다리가 아플 때만 나를 불렀다. 아니 부르지도 않고 내 앞에서 다리를 움직여 보였다. 그래서 그날 나는 떨려오는 팔에 더 힘을 주고 저기 서 있는 내 남자를 향해 걸어갔다. 신부 입장 끝에서 아빠는 나의 손을 내 남편의 손으로 넘겨주었다. 주례사 앞에서 팔짱을 끼고 있는 이 남자 팔을 내 가슴으로 끌어당겼다. 이 남자 팔은 단단하고 두꺼웠다. 주례하는 동안 이제 남편이 된 그에게 부케가 무거우니 같이 들자고 했다.

웃으면서 그는 함께 들어주었다.

이 남자는 신혼여행을 가는 동안에도 근사한 미소를 지으며 내옆에 있었다. 나는 확신할 수 있었다. 이상과 현실의 어느 지점에서 '결혼 놀이'를 잘 해낼 자신도 있었다. 결혼식 며칠 전 신혼여행 짐을 차근차근 정리했다. 남편은 자기가 필요한 물건을 큰 쇼핑백에 대충 담아 나에게 보내주었다. 그리고 '우리'로 시작할 때 필요한 물건들 칫솔, 면도기, 커플 잠옷 등은 따로 구입해서 여행 캐리어에 넣었다. 남편은 결혼 전부터 '남편 놀이'에 푹 빠지기 시작한 것 같다. 남편이 말하면 눈앞에 그 물건을 놓였다. 남편이 먹고 싶은 것과 하고 싶은 것은 모두 가능했다. 나는 '아내 놀이'에 기꺼이 동참했고 나 역시 그 역할놀이에 심취해 있었다. 아침에 일어나면 눈앞에 반듯하게 잘라놓은 사과를 예쁜 접시 위에 올려놓고 행복을 그렸다. 신혼은 달콤했다. 사랑의 결정체로 이뤄낸 우리 둘만의 시간과 추억이었다. 그러나 '남편'과 '아내'라는 이름으로 이제 시작 단계에 있는 우리는 그것이 전부라고 생각했다. 이 '역할 놀이'라면 검은 머리 파뿌리가 되도록 열렬히 즐길 수 있을 것이라는 오만한 자신감마저 생겨났다.

임신했다. 생각했던 것처럼 자연스러운 과정이었다. 친정과 시댁도 기뻐했고 남편도 아빠가 된다는 사실에 가슴 벅차했다. 나는 그들의 모습을 보고 행복했고 나 역시 예상했던 것처럼 축복이라 생각했으며 역시나 성실한 산모가 되었다. 클래식을 들으며 손바느질로 배냇저고리를 만들고 퀼팅으로 아이 이불도 만들었다. 채식 위주로 음식을 먹었고 예쁘게 만들어진 음식만 먹었다. 운동도 성실히 했고 다만 '임신과 출산'이라는 책에 따라 변화하는 몸이 신기할 따름이었다. 그렇다고 일을 쉬었던 것은 아니다. 출산 예정일을 일주일 앞두고 담당 의사가 만류하여 그나마 육아휴직을 제출했다. 남편도 생활의 책임감을 느끼며 일을 열심히 했다. 더 열심히 하고 더 늦게 집에 들어왔다. 우리는 서로에게 최선을 다했다. 각자가 그려놓은 이상적인 역할에 심취해 있었다. '같은 공간'과 '같은 시간'에 '엄마와 아빠 그리고 남편과 아내' 역할을 주고받았어야 했는데 30여 년을 다르게 살아온 우리는 '같이 노는 방법'을 터득하지 못한 채 각자 재미있는 것만 골라서 했다.

아이를 출산하고 백일이 지나서 직장에 복귀하였다. 유축기와 냉온팩을 출근 가방에 넣었다. 누구도 강요하지 않았지만, 모유가 아이한테 좋다고 하니 자처해서 한 일이었다. 수업 중간중간 교실 옆 창고에서 모유를 짜냈다. 시끄러운 기계 소리가 '너는 엄마야. 그러니까 이렇게 해야 해. 이게 맞아.'라고 말하는 것 같았다. 유축하고 나면 금방 배가 고파졌다. 쉬는 시간에 아침에 싸 온 고구마를 꺼내 먹었다. 집에 낯선 보모와 함께 있는 아이에게 미안했다. 직장을 그만두어야하나 잠시 생각하다 목이 막혀왔다. 엄마가 되어가는 과정이라고 생각했다. 엄마가 되기 전 20대의 나는 5월의 봄날 같았다. 싱그러움이 아름다움이었고 오월에 내리는 비 같았다. 나의 웃음이 나를 웃게 하였고 나의 향기로움은 젊고 생기 넘치는 머릿결 위로 그리고 어깨 위로, 나풀거렸던 스커트 위로 떨어졌던 벚꽃과도 같았다. 그때의 내가 자주 생각이 났다. 이 결혼 놀이에는 쉽게 빠져들 수 없었다.

아기가 일어나면 나의 육체도 같이 깨어난다. 온전히 아이의 시간으로 몰입된다. 바닥에 누워만 있던 아이가 자기의 몸을 뒤집는다. 어느 날 고개를 돌려보니 방구석까지 기어갔다가 자기를 다시 데려다 놓으라고 울고 있다. 어느새 보행기를 타고 움직인다. 혼자 힘으로 걷다가 자기를 도와주면 싫다고 생떼를 부린다. 아이가 뛰어다니고 놀이터에서 놀다 와서 혼자 샤워하고 나온다. 모든 것이 경이롭다. 신비롭지 않은 순간이 없었다. 세상의 전부를 갖게 된다.

그러나 우리는 그것을 축하할 겨를이 없었다. 아니 더 열심히 사는 것이 우리 부부가 할 수 있는 최선의 축하였다. 남편은 점점 더 일찍 나가고 늦게 집에 돌아왔다. 앞을 향해 달렸다. 남편이 선택한 것은 자기 일이었고 내가 선택한 것은 상황 그 자체였다.

"후우. 아가야. 미안해. 엄마도 엄마가 처음이라서 그래. 잘할게."

'잘할게.' 무엇을 더 잘해야 할지는 모르겠지만 지금이 부족하다고 생각했다. 놓치고 있는 것이 많다고 생각했다. 일하는 엄마라서, 아빠가 늦게 퇴근해서, 너무 어린 나이에 어린이집에 가야 하니까, 아이가 감기에 걸려서, 아토피가 생겨서, 걷다가 넘어져서, 아이가 놀다가 장난감에 부딪혀서……. 아이에게 미안했다. 모든 게 내 탓처럼 느껴졌다. 내 아이와 함께 있음에도 불구하고 절대적 행복의 감정을 가지지 않고 있다는 사실로 죄책감을 느꼈다.

큰아이가 돌이 지나 다른 도시로 이사를 갔다. 지금껏 살아보지 못한 좋은 집이었다. 아파트 입구 조경부터 마음에 들었던 곳이었다. 처음 본 집을 계약하고 나서 남편과 나는 부자가 된 것 같았다. 소주 한 잔 기울이며 우리가 일궈놓은 것을 자축했다. 그런데 아득한 불안감과 쓸쓸함이 나를 덮쳐왔다. 내일부터 '주말부부'가 시작되기 때문이다. 아이가 어리긴 하지만 남편이 금요일 저녁에 와서 월요일 새벽에 가는 거니까 아이와 나만 오롯이 있는 시간은 사흘이니 괜찮을 거라고 나를 다독였다.

'막내로 태어나서 세상 어려움을 겪어보지 못해 이렇게 마음이 약한가 봐. 잘 지내볼게. 잘할게. 괜찮을 거야. 이게 바로 책임감이라는 거잖아. 혼자라고 못할 것 같아? 할 수 있어. 씩씩한 엄마가 되어야지. 현명한 아내가 되어야 한다고.'

아무 연고도 없는 이곳에서 15개월의 딸아이를 유모차에 싣고 출퇴근을 하기 시작했다. 유모차 바구니에 노트북과 아이의 어린이집 가방을 싣는다. 비가 오면 우산을 쓰고, 눈이 오면 유모차 핸들을 더 꽉 쥐고 이 삶에 적응하려고 했다. 봄, 여름, 가을, 그리고 겨울의 여러 해가 지났다. 그러나 매일 해가 지고 저녁이 되면 아파트 입구에서 방지턱을 넘는 자동차 소리는 익숙해지지 않았다. 괜히 베란다에 가서 방지턱을 요란스럽게 넘는 차들을 바라보았다. '남편이 오는 거면 좋겠다.' 아랫 입술을 쪽쪽 빨고 있는 우리 아이가 나를 보며 걸어온다. 그리고 나를 안아주었다. 늘. 그러다보니 12년이 지났다.

3. 주말부부와 워킹맘

"유진 씨, 아무도 유진 씨에게 비난할 수 없어요. 그렇죠? 일하면서

아이를 돌보고 그리고 주말부부까지. 유진 씨는 지금 너무 많이 화가 나는 거예요. 분노. 분노요. 시어머니나 친정어머님이 가끔 오신다고요? 그건 일시적인 도움인 거예요. 그런데 유진 씨는 기댈 곳이 필요한 거라고요. 육아는 쉬운 일이 아닙니다. 함께 하는 거예요. 그래서 아빠와 엄마가 함께 책임을 나눠 갖는 거죠. 그것을 혼자 다 하고 있으니 얼마나 화가 나요. 지치고요."

나에게 이상한 습관이 생겼다. 처음에는 버릇처럼 그랬던 것 같은데 이제 습관이 되어버렸다. '불안'이라는 감정을 숨 쉬듯 갖고 있다. 하긴 생각해 보니 원래부터 있었던 것일 수도 있겠다. 우리 부모님은 오랫동안 편찮으셨다. 내가 22살 교생 실습을 나갔던 해부터였다. 그때부터 20년 동안 아빠와 엄마의 병환을 지켜보았다. 그리고 뱃속의 둘째가 7개월이 되었을 때, 아빠가 돌아가셨다. 슬퍼할 겨를이 없었다. 아빠의 장례식장에서 하염없이 울고 있는 엄마의 손을 잡고 병원에 갔다. 엄마가 항암 주사를 맞는 날이었기 때문이다. 병원 침대에 누워있는 엄마를 보자 기가 찼다. 엄마의 슬픔을 가늠할 수도 없었다.

"엄마, 나랑 같이 살자. 걱정하지 마. 내가 있잖아."

나에게 엄마는 세상이었다. 엄마에게도 나는 삶 그 자체였다. 링거병 아래에 항암제가 한 방울 한 방울 떨어진다. 그 선을 따라 뼈만 앙상하게 남아 피부만 감싸고 있는 팔의 혈관을 타고 항암제가 온몸에 퍼져나간다. 그 손을 잡았다. 첫 아이를 출산하고 핏덩이를 안고 있을 때 엄마의 손을 이렇게 잡고 싶었는데…. 엄마의 손이 나의 세계를 어루만진다.

“우리 딸이 엄마한테 산후조리원 따뜻하니까 같이 있자고 했는데 엄마가 이렇게 병원에 있게 됐네. 엄마가 아픈 곳이 나으려고 병원에 있는 거니까 우리 씩씩하게 지내자. 근데 이렇게 우리 딸을 보니까 엄마가 미안해. 엄마가 가봐야 하는데. 우리 딸 미역국도 끓여주고 산후조리도 해주고. 우리 손녀딸 목욕도 시켜주고.…“

엄마의 병명을 알게 된 그날이었다. 내가 딸을 낳았던 그날에 엄마를 영상통화 속에서 마주해야 했던 날이었다. 엄마의 모습이 낯설었다. 붉은 반점이 얼굴을 덮고 있었다. 게다가 퉁퉁 부은 얼굴에 그냥 봐도 며칠은 또 잠도 못 자고 먹지도 못한 것 같았다. 곧 골수 이식도 해야 하면서 나한테 미안해하는 엄마를 보니 화가 났다.

“엄마, 괜찮아? 나는 괜찮아. 나 이렇게 예쁜 아이를 낳았어. 순산했어. 아이가 작아서. 남편도 옆에 있고 어머님도 계시니까 걱정하지 말고 엄마나 신경 써.”

지금까지 나는 불행과 절망의 끝을 상상하면서 한편으로는 거기에까지 이르지 않음에 감사 기도를 했다. 그런데 이제 이 주문이 더 이상 걸리지 않는다. 어디까지가 절망인지 모르겠다. 엄마가 되어가면서 친정엄마의 삶의 일부도 되고자 했다. 책임감이 삶을 짓눌렀다. 내가 할 수 있는 것은 ‘열심히’ 그 역할을 하는 것이었다. 하지만 그때부터 불안도 함께 열심히 키워왔다. 사람들이 말하는 그 역할과 기준에 도달해야 한다는 강박이 나의 성실함을 만나 시너지를 내기 시작했다.

둘째가 태어나고 아이들이 마음껏 뛰어놀 수 있는 더 넓은 곳으로 이사를 갔다. 대출금도 다 갚고, 연봉도 올라갔다. 내 자가용도 생겼다. 환경은 더 나아졌다. '나'만 괜찮으면 모두가 행복했다. 그런데 '나'를 생각할 겨를은 더 없어졌다. 아침 6시가 되면 하루가 시작된다. 아침식사와 출근을 준비하고 아이들은 어린이집에 데려다준다. 퇴근 후, 아이들의 그리움을 다독여주며 분주하게 저녁을 준비해서 먹고 아이들과 하루를 마무리한다. 아이가 감기에 걸려 열이라도 나는 날에는 동네 어린이 병원에 가서 한없이 길어진 대기 번호에 지쳐도 아이들이 그나마 진료받을 수 있는 것에 안도한다. 아이들이 그렇게 커 갔다.

나는 지치지 않고 달렸다. 다른 사람들은 나에게 대단하다고 했다. 그리고 자기들이라면 절대 하지 못할 것이지만 역시 '너'라서 하는 것이고 어쩌면 더 잘할 수 있을 거라고 했다. 그들은 나의 생활을 걱정하고 궁금해하면서 나에게 물어왔다. 어떻게 그렇게 모든 것을 잘하냐고 그리고 왜 그렇게 해야 하는지 말이다. 처음에는 부지런해서 그렇다고 말했다. 그런데 점점 나는 대답을 할 수가 없었다. 다만 이 질문들은 내 감정에 대해 궁금하게 만들었다. 왜 슬픈 것인가, 왜 이렇게 힘든 것인가, 왜 눈물이 나는 것인가. 결국 '불안'이 나란 사람의 출처를 궁금하게 했다. '왜 나는 불안한가?'에 집착하자 걷잡을 수 없이 생각이 부풀어 올랐다. 한편으로는 부정했다. 너무 행복에 겨워서 그럴 수도 있을 것이라고. 그 행복이 깨지면 큰일이 생길 것 같아서 무서웠을 수도 있다. 불안이 나의 생각도 삶의 방향도 앗아가 버렸다.

"유진 씨가 생각하는 남편은 어떤 사람이에요?"

남편은 일을 사랑하는 사람이다. 큰아이를 낳고 조리원에 있으면서 나는 그와 저녁을 함께 하지 못했다. 늘 바빴다. 다음날 운전을 많이 해야 한다는 이유로 퇴근길에 잠시 얼굴만 비추고 집으로 가곤 했다. 평일에도 늦게 집에 왔다. 저녁은 늘 혼자 먹었다. 그리고 나와 아이가 잠들면 들어오곤 했다. 남편은 그렇게 하는 것이 '가장'의 역할이라고 생각하는 듯했다. 선택과 결정을 이끌어 갈수록 남편은 점점 강해졌다. 하지만 나는 그렇지 않았다. 오히려 남편의 '왜'라는 질문에 대답을 잘하고 싶어졌다. '왜 그것을 사는 거야?', '왜 그 옷을 입었어?', '왜 아이들 데리고 병원 가는 거야?', '왜 너는 그렇게 하는 거야?' 남편의 질문에 말을 잃어가며 온몸이 얼어붙었다.

"그래서 결혼을 후회하는 건가요? 남편과 결혼생활에서 제일 힘든 점이 뭐라고 생각하세요?"

주말부부를 시작하고 나서 우리의 관계를 되돌아볼 시간이 없었다. 일과 각자의 상황에 열심을 다했을 뿐이고 이것은 우리에게 자아실현과 경제적 여유 그리고 사람들과의 좋은 관계까지 이루게 했다. 그게 더 문제가 되고 있다는 것을 우리는 알았지만 외면했다. 이러한 애매함에 익숙해져 버렸다.

"여보, 오늘 하루는 어땠어요?"

남편과 늦은 저녁 통화에서는 할 말이 점점 없어진다. 아이들이 오늘은 어떤 새로운 일을 했고 얼마큼 컸는지 말해주는 것이 나의 의무라고 여겼다. 처음에는 그렇지 않았다. 애틋한 면도 있었다. 주말마다 만나는 남편은 더없이 반가웠고, 남편이 좋아하는 음식을 준비하며 소주잔을 기울였다. 어떻게 지냈는지 서로가 얼마나 그리워했는지 그렇게 다정하게 이야기를 나눴다. 평일 저녁은 무엇을 먹었고 놀이터에서 어떤 친구를 만났으며 그네를 어떻게 탔는지, 유치원에 갈 때 어떤 옷을 입었는지에 대해 이야기했다. 아빠가 없었으니, 아빠니까 알아야 할 것 같아서 이야기해 주었다. 그러다 이것도 지쳐갔다. 점점 투정과 감정만 토로하게 되었다. 내가 얼마나 힘들었는지 그 하루가 얼마나 피곤했는지 알아달라고만 했다. 그리고 이렇게 계속 살아야 하는 이유를 모르겠다고, 이제 나는 그만하고 싶다고, 왜 나만 이렇게 해야하는지 알고 싶다고 했다. 되풀이해서 오랜 시간을 대화했다. 반복된 대화에 남편도 지쳐갔다.

"그래서? 어떻게 하라고! 그래! 일 그만두자. 나도 힘드니까 같이 시골에 내려가자. 그만 말해. 지겹지도 않냐? 나보고 어떻게 하라고!"

어떻게 하라고 한 것은 아니다. 일을 좀 쉬고 같이 아이들을 돌보자는 것이었는데 남편은 그런 내가 지겹다고 했다. 숨이 막힌다고 자기가 이제 뭘 해야 할지 모르겠다고 했다. 나는 그말이 슬펐다. 내가 하고 싶은 말이었는데 그 말을 남편에게 듣게 되었다. 남편의 무심함이 아이에 대한 집착으로 옮겨갔고 엄마에 대한 애잔함이 남편을 향한 분노로 변해가며 스스로가 마음의 상처를 키웠다.

"유진 씨는 착한 사람이에요. 그런데 착한 사람하지 마요. 엄마로부터 남편으로부터 벗어나요. 유진 씨는 이제 딱 엄마 역할만 해요. 주말에는 아이들도 아빠랑 있을 시간을 줘야죠. 맡기고 나가요."

나는 그럴 수 없다. 아이들이 나만 주시하고 있다. 떨어져 있는 시간만큼 아빠와 있는 시간에도 적응이 필요한데 서로의 속도가 다르다. 내가 외출하려면 아이들이 운다. 그 모습을 보면 굳이 이렇게까지 해야 하나 싶어서 가방을 내려놓는다. 차라리 내가 하는 게 낫다. 남편이 아이들에게 짜증 내는 것도 싫다. 가슴의 답답한 먹구름이 머릿속 안개로 옮겨갔다. 어디에서부터 시작해야 할지 모르겠다. 나의 긴 한숨을 끝낼 방법을. 그리고 이 불안을 끝낼 방법을. 모든 일이 남편 탓이라고만 생각했다. 그리고 부모님 탓으로 돌렸다. 그래야만 했다.

나의 긴 한숨의 처음과 끝이 하나로 연결되어 있다. 시간이 지나면 그 끈이 낡아 없어질 거라고 믿었다. 내가 나이를 먹듯이 그 끈도 나이를 먹어 힘없이 끊어질 거라고 그러니 조금만 더 참자고 스스로를 다독였다.

하지만 더 이상 나빠질 것도 좋아질 것도 없었다.

"후우." 깊은숨을 내쉬었다.

아무 일도 일어나지 않았다. 아무것도 변하지 않았다.

4. 마흔 세 살의 다정함

"유진 씨. 과거의 고민과 걱정들을 떠올려보세요. 지금은 어때요? 그 걱정하던 일들이 일어났나요? 설령 그 일이 생겼어도 어때요? 괜찮죠? 우리는 '구름에 떠밀려간다'라고 하거든요. 크기와 무게에 상관없이 그 생각이 나를 에워싸는 겁니다. 그리고 유진 씨를 구름에 이끌려 떠다니게 합니다. 의지와 상관없이요. 길을 잃게 됩니다. 유진 씨. 그래도 괜찮아요. 유진 씨가 말한 것처럼 정말 아무 일도 일어나지 않아요. 괜찮아요."

직장에서 개인 이메일로 넘어온 업무를 처리하다가 스크린에 '6년 전 오늘'이라는 알림을 보고 마우스를 움직였다. 6년 전. 지금이 아닌 과거의 시간. 기억이 잘 나지 않았다. 구름이 나를 밀어 망망대해 바다 한가운데에 갖다 놓고 나를 잊어 버렸다고 생각했다. 밤인지 낮인지 모르게 안개가 자욱했다. 그러나 사진 속 아이들의 미소는 잃어버린 시간 속에서 나를 깨워주었다.

'엄마! 나 좀 봐. 나야 나. 나는 엄마 냄새가 좋아. 우리 겨울 되면 스노우 엔젤 만들자. 그리고 엄마가 그때처럼 라면 끓여서 보온병에 넣어줘. 눈 오는 게 좋아! 엄마 나 김치볶음밥 해줘. 아침밥으로 먹으면 든든해! 엄마 음식은 진짜 맛있어. 오늘도 학교에서 엄마가 만들어 준 간식은 인기 최고였다니까! 파리 여행도 좋았어. 오르세에서 엄마가 우리 태명의 비밀을 알려줬잖아. 엄마가 왜 '모네'로 했는지 알았어! 따뜻하고 행복한 그림이야. 엄마는 왜 이렇게 우리를 좋아하는 거야? 근데 있잖아. 나도 엄마가 세상에서 제일 좋아!'

정말 아무 일도 일어나지 않았다. 오히려 아무 일도 아닌 일들이 매일 매 순간 선물처럼 다가왔다. 6년 전 오늘을 클릭하고 그 아무 해의 오늘의 사진을 보았다. 우리 아이가 걸음마를 배울 때 신었던 첫 신발의 사진이다. 손바닥에 놓여있는 이 앙증맞은 신발은 손가락 길이를 넘어서지 못할 만큼 작았다. 그 옆에 가발을 쓰고 아이를 향해 웃음 짓고 있는 친정엄마도 있다. 항암을 며칠 전에 끝내고 와서 피곤함에 지쳐있는 모습이다. 엄마의 미소가 오랜만이다. 스크롤을 내리다가 큰아이와 작은 아이가 목욕하기 전에 아빠랑 체조 중인 사진을 봤다. 아빠를 향해 호기심 가득 차서 보고 있다. 어서 구호를 외쳐달라는 장난기 넘치는 얼굴이다. 첫 번째 페이지 마지막 사진은 아이들과 내가 같이 누워서 찍은 것이다. 큰아이는 내 머리카락을 자기 장난감 마냥 손에 쥐고 있다. 작은 아이는 다리를 내 배 위에 올려놓고 손가락을 빨고 있다. 세상 다 가진 아이들이다. 페이지를 넘길수록 흑백의 기억에 색이 입히는 것 같았다.

눈물이 쏟아졌다. 행복의 찰나가 사진에 박혀있다고 해도 그 순간만이 행복의 착각이라고 해도 모든 날이 좋았던 적이 있었다. 사진 전부가 그랬다. 그 시간들 더 확인하고 싶었다. 10년 전 그리고 20년 전 나를 보고 싶었다. 책상 깊숙이 넣어놓은 오래된 외장 하드를 꺼내 노트북에 연결했다. 스캔 된 필름 사진 속에는 그날의 내가 있었다. 스스로 생채기를 내는 방법조차 몰랐던, 세상이 주는 상처도 막아내었던, 세상을 마음으로 품었던, 그리고 어떠한 삶이 내 발 앞에 놓일지 몰랐던 옛날의 어느 해의 내가 있었다. 그리고 그 옆에는 내 친구들이 있었다. 맞다. 세상을 떠난 지 13년이 되어가는 내 친구. 갓난 아이에게 젖을 물리고 있었던 나는 친구의 죽음을 마주할 자신이 없었다. 스무 살에 갑자기 떠난 친구의 죽음 앞에서도 그랬다. 신입생으로 대학교를 다니는 동안, 친구는 병원에서 그리 길지 않은 시간을 보내지 세상을 떠났다. 무서웠다. 이 막연한 두려움은 어린 시절 기억으로 이어졌다. 9살이었을 것 같다. 할아버지 장례식으로 시골집에 부랴부랴 내려갔다. 낮잠을 자고 일어났는데 돌아가신 할아버지가 옆 방에 누워있었다. 소리도 내지 못했다. 숨을 참고 문을 찾았다. 방문이 닫혀 있었다. 할아버지 시신이 놓여있는 그 방 틈으로 부엌이 연결된 작은 마루가 보였다. 발을 떼면 누가 내 발을 잡고 놓아주지 않을 것 같았다. 바닥은 차가웠다. 눈물과 콧물이 내 얼굴을 덮었다. 차가움이 얼굴까지 타고 올라 몸을 그 공간에 붙여놓았다. 감히 고개를 돌릴 수는 없었다. 실체가 없는 무엇인가가 나를 에워싸 있었다. 검은색 리본으로 장식된 할아버지 사진 때문인지 국화꽃 향기와 꽃향기에 섞인 향초 냄새가 까맸다. 엄마에게 달려갔다. 엄마가 있었다. 다행이다. 엄마 냄새다. 엄마의 엄지손가락을 만졌다. 나만 알 수 있는 다른 사람보다 큰 손가락 머리를 가진 우리 엄마다. 엄마가 미안해하며 내 등을 쓰다듬어 주었다. 이상하게 다른 사람들은 웃었다. 무서웠을 거라고 말하면서도 웃었다. 나는 숨을 쉬지 못할 만큼 무서웠는데 엄마만이 나를 도닥이며 안아주었다. 엄마의 품이 따뜻했다.

되돌아보니 나는 나약한 사람이다. 사랑과 우정을 지키기에도 부족하고, 다른 사람들의 마음을 헤아리지도 못한다. 오히려 위로만 받고 싶어한다. 다른 사람이 하는 말에 쉽게 상처받고 속상해하고 눈물을 흘린다. 다른 사람이 나 때문에 마음이 힘들까 봐 괜히 미안해하고 상대방에게 미안한 마음에 더 잘해주려고 한다. 다른 사람의 기대치가 무엇인지 모르면서 상냥함과 친절함으로 그것을 맞춰보겠다고 노력한다. 계속 죄책감만 느끼는 사람, 그렇지만 스스로를 위안하며 핑계를 잘 가져오는 사람, 누군가에게 '괜찮다'라는 말을 들으며 마음의 안정을 찾고자 하는 사람. 그게 바로 나이다.

'망해도 괜찮은 거구나', '아무것도 아니었구나', '망가져도 행복할 수 있구나' 안심이 됐어요. 이 동네도 망가진 거 같고, 사람들도 다 망가진 거 같은데.… 전혀 불행해 보이지가 않아요. 절대로. 그래서 좋아요, 날 안심시켜 줘서. *(김원석 2008년 작, 드라마 〈나의 아저씨〉 7화)*

6년 전 아니 어느 해의 '오늘의 사진'이 내 인생을 마주하게 했다. 그림자처럼 형태는 있지만 실체를 몰랐던 후회와 슬픔들이었다. 끈질기게 따라다녔던 감정들이었다. 그런데 사진에 반추된 망가진 모습도 나쁘지 않았다. 나는 오히려 반짝이고 있었다. 꽤 괜찮은 엄마였다. 그리고 괜찮은 사람이었다. 내 시간들은 도망가거나 사라지지 않았다.

그렇게 망가지지도 않았다. 단지 못난 부분이 사람들한테 들킬까 봐 조마조마했던 것이다. 그래서 지금의 이 일상과 관계가 깨질까 봐 불안했던 것이다. 아픔과 죽음이 이 시간을 앗아갈까 봐 두려웠던 것이다. 하지만 조건 없이 나를 사랑해 주는 아이들이 '어린 나'를 따뜻하게 안아주고 있었다. 힘내라며 나를 이끌어주고 있었다. 그 여린 팔로 나를 붙잡아 주고 있었다. 그림자처럼 내 곁에 묵묵히 있었던 남편, 한없이 다정한 엄마, 늘 그리운 내 친구들, 그리고 삶의 원동력이 되는 일터의 친구들이 나를 지지 해주고 있었다. 내가 나라서 좋다고 그 모습이 고맙다고 말해주고 있었다.

"하지만 기질적으로 불안이 높은 분이에요. 그러니 우선순위를 둬서 일을 좀 쉽게 할 수 있게 하셔야 합니다. 집안일은 내려놓으세요. 청소, 빨래, 분리수거 나중에 해도 괜찮아요. 다 잘할 수 없어요. 완벽한 엄마는 없어요. 완벽한 사람도 없고요. 지금의 유진 씨가 좋은 엄마입니다. 좋은 사람이고요. 아니 다른 사람에게 좋은 사람일 필요가 없어요. 본인에게 좋은 사람이어야 해요. 그렇게 일상을 살아가세요. 아침에 일찍 일어나고 저녁에 일찍 주무세요. 삼시 세끼 챙겨서 드시고 운동도 하세요. 사랑하는 사람이 유진 씨를 어떻게 대해야 한다고 생각하세요? 자기에게 다정해지세요."

아득한 설렘을 안고 병원 문을 나섰다. 마지막 의사 선생님의 말이 귀에서 맴돌았다. '유진 씨에게 다정해지세요.' 무슨 뜻일까? 집에 도착해서 일기장을 폈다. 펜을 잡을 손이 조금 떨렸다. 마음의 일렁임이 느껴졌다.

'왜 다정해야 하지?'라는 질문은 나의 후회와 슬픔을 떠올리게 하는 것 같아 대신 '어떻게'라고 시작해 보았다. '어떻게 다정해질 수 있을까?', '어떻게 하는 것일까?' 그러자 내가 좋아하는 것을 떠올랐다. '일단 하고 나서' 생각해 보기로 한다. 지금 당장 할 일도 생각이 났다. 임시 저장함에 있었던 메일을 보내는 것이다. 3주 캐나다 출장을 가겠다는 답장을 쓰는 것이다.

그 첫걸음 만으로 '성취감'을 맛보았다. 드라마에서는 관심 밖에 있던 여자 주인공이 180도 변신을 하게 되면 외면과 내면의 변화가 일어 드디어 빛나는 주인공이 되는 것처럼 그 순간이 나에게는 그렇게 다가왔다. 비록 눈물로 짐을 챙기고 출국 날, 비록 아이들이 너무 보고 싶어서 인천공항 구석에서 다리를 뻗고 울었지만 내가 선택한 일이라서 용감하게 발걸음을 떼고 비행기에 올라탔다.

달라진 것은 없었다. 그런데 내 주변의 공기가 변한 것 같았다. 과거의 나는 멈추어있지 않았다. 상처투성이로만 있지 않았다. 빛바랜 사진에 담긴 그때의 나와 함께 했던 사람들, 장소와 물건들 모두가 다 이유가 있었다. 이렇게 걸어온 길 또한 내가 선택한 것이었다. 그러나 꽤 괜찮게 살아왔고 그게 옳은 것이었다고. 그렇게 보니 내가 꽤 괜찮은 사람일 수도 있겠다는 생각을 하게 되었다. 나에게 다정함을 그렇게 보여주었다. 숨을 깊게 들이마셨다. 천천히 내뱉었다. 내 몸에 공기가 가득 찼다. 그사이 가을이 지나 겨울 초입이었다. 겨울 공기가 좋았다.

숨을 크게 들이마셨다. 그리고 내뱉었다.

추운 겨울
인생을 추억하는 너에게

최수경

최수경

사랑하는 사람을 추억하고 기억에 남기고 싶어서 이 글을 남겼습니다.
각자 사랑을 추억 하고 싶다면 이 글을 읽어 보세요 잊고 있었던 행복한 기억이 다시 살아날꺼에요

그를 만나기 전까지만 해도 나의 일생은 크게 변함이 없었다. 하루 살아가기에 많은 에너지를 쏟고 무작정 달리면 된다고 생각해 앞만 보고 달려보았다.

타인이 보기에는 안쓰러움과 천천히 가도 괜찮다면서 위로 해주는 이도 있었다. 무엇을 위해 이렇게 달려왔을까 나를 위했다고 하기에는 나를 놓아버리는 일들도 있었기 때문이다.

나에게 가장 중요한 건 가족, 가족은 내가 지켜야 하고 보살펴야 한다고 생각한다.

나도 모르게 부담감 또한 생겨버렸다. 인생에 중압감과 무게가 나를 짓누르는 기분이 들었다.

퇴근하고 집에 갈 때 매번 긴 한숨과 어두움이 나를 찾아왔다. 세상의 모든 것들이 내 편이 아닌 기분, 좌절감이 들고 그렇다고 편하게 연락할 친구들이 없다는 생각, 나뿐만 아니라 모두가 힘들겠다고 생각을 하니 정말 무섭고 어렵다고 생각하게 되었다.

나와 같은 마음이라고 나 또한 판단하게 된 것이다. 집에 들어와서 씻고 거울을 보는 내 모습을 바라보니 얼굴에는 어두운 그늘과 무표정한 표정 지쳐 있는 나의 얼굴이 보인다.

나 자신을 보고도 아무 말을 해줄 수가 없었다. 위로의 말도 힘내라고 응원의 말도 내 귀에는 들리지 않았고, 해결할 수 있는 문제가 아니었다고 생각했기 때문이다.

타인의 시선이 나는 신경이 쓰인다. 나 자신을 바라보기보다는 언제나 타인이 모습이 떠오른다. 신경을 안 쓰면 그만이겠지 하면서도 그렇게 할 수 없는 나 자신이 너무 한심해 보여서 말할 수가 없었다.

이런 시기가 반복되다 보면 어느새 몇 년의 시간이 빠르게 지나가는 걸 볼 수가 있었다.

매번 같은 일들이 반복되는 것이 아니라 새로운 무언가가 나를 덮었으면 하는 생각이 있다.

한번 사는 인생 나에게도 같은 일들이 반복되는 것이 아니라 인생의 새로운 길로 빠지고 싶다고 생각하게 된다.

그래서 더 열심히 살려고 했지만, 인생은 내 뜻대로 되지 않는다는 것을 알기 때문에 실패와 좌절감도 느끼는 시간이 많이 있었다. 지금 생각해 보면 그 시간이 없었다면 지금의 나 자신도 없었을 것이다.

나는 그를 만나고 모든 게 달라졌다.

불안했던 나의 시선, 시간이 모든 것들이 사라졌다.

나의 어두웠던 마음들을 위로받았다. 그와 있는 시간이 진짜 나의 꿈처럼 찾아왔다. 그래서 너무 좋았다.

꿈을 꾸는 시간. 어린 시절에 희망이 가득했던, 다양한 고민의 시간이 아니라 나의 모든 생각들을 바뀔 수 있는 시간이 있어서 감사했다. 가족들과 계곡에 가서 발을 담그고 계곡에 수박을 놓고 시원하게 한 후 가족들이 모두 모여서 환하게 웃으면서 이야기한 시간이 생각이 난다. 행복했던 추억들이 생각이 난다. 그 시간에 들어간 기분 포근한 기분이 나를 행복하게 해준다.

그리고 마음의 여유로움, 안정감, 포근함, 천천히 해도 괜찮다는 마음을 생기게 해준 사람이다. 33년 만에 나에게 선물과 같이 찾아왔다.

나의 말의 단어도 부정적인 단어들이 아닌 긍정적인 말들로 바뀌게 되었다. 고마워, 감사해 라는 말들이 자연스럽게 나오게 되었다.

그 과정에서 한순간에 완결되지는 않았지만, 결과적으로 나에게 희망이라는 단어를 준 사람이 되었다.

그를 만나기 전 나의 모습은 어두운 그림자

새벽 4시에 눈이 떠진다. 부은 얼굴과 부스스한 상태로 새벽을 마주한다. 오늘따라 몸이 쉽게 움직여지지 않는다. 오늘은 나에게 또 무슨 일이 생기는 것이 아닌지 괜한 걱정이 생기게 되면서 벌써 나의 표정은 좋지 않았다. 눈에는 어두운 그늘이 나를 찾아왔다.

몸에 힘이 빠진다. 침대에 누워서 멍하니 한곳을 응시한다. 또 생각한다.

힘이 들어서 어깨가 축 늘어졌다. 일어나서 출근 준비를 한다. 어기적 걷는 내 모습이 보인다. 마지막으로 집안을 쳐다보면서 최대한 시간을 끌어본다. 하지만 결국 출근을 한다.

회사까지 걸어가면 1시간 10분 매일 나는 걷는다. 새벽에는 아직도 밖은 깜깜하다. 고요한 소리가 들려온다. 바로 이어폰을 끼고 내가 좋아하는 노래를 들으면서 위로를 받는다. 나만의 쉼의 방법이다. 어두운 밤을 싫어하지만, 음악이 주는 위로는 나의 마음을 따뜻하게 해준다. 나의 잠깐의 휴식이다.

회사에 도착했다. 많은 사람과 마주치며 그 안에서는 다양한 일들이 생긴다. 일을 했던 시간은 많이 지났지만, 아직도 익숙하지 않은 일들이 계속 일어나고 있다.

갈등 속에서 이겨내는 건 쉽지 않다. 그만둬야 하나 마음속에는 한쪽 가슴에는 사직서가 숨겨져 있다.

하지만 나는 계획 없이 아무 노력 없이 포기 하고 싶지는 않았다. 사람들 관계 때문에 단순히 일이 힘들어서 떠나고 싶지는 않았다. 나의 인생 계획이 더 명확해지고 가야 하는 길이 확신해질 때 떠나고 싶었다.

요즘은 무슨 이유가 있어서 일을 하는 것이 아니라 그냥 한다는 표현이 맞는 것 같다.

감정 없이 다닌다는 말로 표현하는 게 나을 것 같다. 많이 지쳐 있었다.

대화하는 것이 귀찮아지고 갈등을 힘들어하고 감정이 메말라지고 있다는 표현이 맞다.

신경을 안 쓰면 된다. 귀 닫고 입을 닫고 다니면 된다. 마인드 컨트롤을 하는 중인 나 자신이다.

그를 만나게 된 계기

그를 알았던 기간은 1년쯤 된다. 내가 알던 그의 모습은 성실했고, 책임감이 있었던 사람이었다. 그를 마음에 담아주지는 않았다. 이 사람 참 괜찮은 사람이라는 생각만 있었다.

회사 분들과 같이 술을 먹을 수 있는 계기는 있었지만, 매번 타이밍이 맞지 않아서 같이 이야기할 수 있는 시간이 없었다.

이야기를 잠깐 했었던 시간은 설비 일을 하는 그는 내가 도움을 요청하면 설비 일들을 해주면서 말을 잠깐 했던 것이 전부일 뿐이었다.

그에 대해 궁금한 것이 많이 있었지만, 항상 말을 아꼈다. 선이 있다는 생각이 들어서 나 또한 더 이상 말을 하지는 않았다.

사람마다 각자 숨기고 싶고, 말하고 싶은 일들이 많이 있다. 들춰내고 싶지 않았다.

어느 날 직장 선배가 팀원분들을 집에 초대해 주시기로 해서 시간 맞는 분들 몇 분을 초대했다. 타 부서 한 분도 같이 일을 해서 일을 끝내고 집들이를 가게 되었다. 그 모임에 그도 함께했다.

그날은 야간근무를 끝나고 아침에 가게 된 날 이다. 야간에 일을 하면 피곤함이 두 배로 쌓인다. 비몽사몽 회사 밖을 나왔다.

그의 차를 타고 회사 분들과 집들이를 함께 갔다. 차 안에서는 아직 조금은 낯설었지만 재미있을 것이라는 생각을 했다.

한번은 같이 밥을 먹고 싶다고 생각했었는데 딱 그날이었다. 처음이었다. 그와 회사 분들과 이야기를 해보니 되게 친숙하고 성격도 좋아서 이야기가 잘 통했다.

집들이 초대 해주신 분이 정성스럽게 많은 요리를 코스로 만들어 주셨다.

감자 오븐구이, 소고기, 치킨, 파스타 등 다양한 음식과 술을 먹으면서 많은 이야기를 했다. 몇 시간이 지났을까? 아침 10시쯤 도착해서 벌써 6시, 8시간이 지났다.

이야기하는 동안에는 시간을 크게 보지 않아서 정말 놀랐다.

이 시간이 시간 가는 줄 모르고 정말 즐거웠다. 그가 새로워 보였다. 항상 사람들 말에 먼저 귀 기울여지고 웃으면서 배려하는 모습들이 새로워 보였다.

그 시간을 통해서 호감이 생기게 되었다. 이 사람과 함께 하면 행복할 수 있겠다는 맘이 한 번에 들게 되었다. 금방 사랑에 빠진다. 라는 말을 믿지 않았던 사람이었는데,

1년이 넘는 시간 동안 지켜보았기에 이 또한 이상하지는 않았다.

이 모임 멤버들이 너무 잘 맞았던 시간이었는지,

서로가 너무 아쉬워서 노래방에서 2차를 하게 되었다. 나는 노래를 잘 부르지 못한다.

노래방에서 부르는 노래는 정해져 있다.

윤하: 사건의 지평선, 브리즈: 뭐라할까, 이안: 물고기자리 등

이 노래를 부르게 된다. 노래방에서 내 차례가 되었다. 은근히 긴장됐는지 박자를 잘 못 맞추고 있었는데 그가 갑자기 손으로 내 어깨를 툭툭 치면서 박자를 맞춰줬다.

떨렸다. 그는 단순한 배려일지 몰라도 내 마음은 그렇지 않았다. 이 시간이 끝나지 않았으면 좋겠다고 생각을 했다. 오늘 하루가 끝나면 이 꿈이 사라질지 모른다고 생각했다. 시간과 상관없이 하루도 안 된 시간 속에서 생각이 깊어졌다.

그래서 더 오래 같이 있고 싶다고 생각했다.

그가 노래를 부르는데 너무 감미롭게 노래를 부르는 모습에 너무 놀라웠다.

내가 기대하지 않았던 부분들에 대해서 잘하는 모습을 보고 그는 너무 완벽하다고 생각하게 된다.

다 같이 신나게 노래를 부르고 호응도 해주면서 정말 즐거운 시간을 보내게 되었다. 새벽부터 긴 시간까지 함께 이야기도 하고 추억도 쌓았다.

벌써 8시, 시간이 흘렀다. 이렇게 끝나면 내가 너무 아쉬워서 후회될 것 같아서 그에게 말을 했다. 오빠 한 잔 더 할래요? 나도 모르게 용기가 생겼다. 거절할지 라는 생각보다 순간의 감정에 대해 집중했다.

야간일 12시간을 하고 현재 10시간이 지났다. 엄청 몸이 피곤하고 일하고 보통 2~3시간만 지나도 피곤해서 보통은 뻗는데 이건 거의 이틀을 밤새는 거랑 똑같은 거로 생각 하면 된다.

나는 야간에는 회식이 있어도 참석하는 시간이 정말 적다. 몸도 마음도 많이 지쳐서 집 가면 바로 잠들기 때문이다. 그런 내가 술을 더 먹으면서 이야기하자는 것 또한 정말 놀라운 일이기 때문이다.

나는 그가 안 된다고 할 줄 알았다. 하지만 그도 괜찮다고 해서 내심 기분이 좋았다.

노래방을 나와 택시를 탔다. 3차를 가는 인원이 그와 같이 일하는 직원 한 분과 나 총 3명이었다.

택시에서 3차까지 가는 시간이 30분 정도의 시간이 걸린다. 나도 모르게 창가에 멍하니 있다가 눈이 감겼다가 눈이 떠졌다가 반복했다. 자는 모습에 걸리지 않으려고 안간힘을 쓰게 되었다. 그가 나를 보고 웃었다. 택시에 내려서 도착하니 9시가 되었다.

저녁 시간이라 사람들도 많이 있었다. 셋의 표정을 보니 피로감이 쌓여있었다. 원래 계획은 집들이에서 간단하게 먹고 집에 갈 계획이었다고 셋 다 말을 했는데. 막상 있어 보니 너무 재미있어서 오래 있게 되었다고 말하였다.

우리는 고기와 소주를 시켰다. 혹시 모르니 나는 편의점에 가서 숙취 없애는 약을 사서 그와 동료에게 주었다. 술을 한잔씩 하면서 이야기를 나눴다. 그는 소규모로 만났을 때 너무 편하게 대해줘서 오빠 같은 마음을 받았다. 어릴 때 내게도 오빠가 있으면 좋을 것 같다고 생각하였는데 딱 그런 느낌을 받았다.

나는 그에게 말했다. 본가보다 먼 곳에서 일을 하다 보니 그 근처 친구도 없고 편하게 술 한잔을 할 수 있는 사람들이 없어서 아쉬웠다.

그에게 술 먹고 싶을 때 편하게 연락해도 되냐고 물어보니 괜찮다고 했다.

내가 긴장하면서 물어봤던 질문들에 대해 그는 항상 호의적으로 들어줘서 감사했다.

이날을 계기로 나는 그에 대한 마음이 더 커졌다.

그의 이야기를 들어보니 그의 아픔 또한 있었다. 그 말을 들으니 안아주고 싶었다.

거의 12시가 넘어가고 있었다. 벌써 14시간이 흘렀다. 행복한 시간을 보내고 각자 집으로 갔다.

초반에는 내가 그에 대한 마음이 컸었다. 그날 이후 먼저 메신저도 하고 그의 답장에 따라 하루의 기분이 달라졌다. 그래도 그는 꾸준하게 연락도 먼저 해주고 답변도 해줘서 서로 이야기할 수 있는 시간이 많이 생기게 된다.

집들이를 끝낸 후 그는 일정들이 너무 바쁘게 있었다. 고향이 울산인데 결혼식도 연달아 잡히고 미리 잡은 약속들이 있어서 휴가를 내고 울산에 있는 시간이 조금 길어지면서

약속을 잡기가 쉽지 않았다. 좋아하는 사람을 기다린다는 마음은 다양한 생각과 상상을 하게 된다. 사랑을 하면 마음은 조급해진다.

부모님이 항상 하는 말씀 중의 하나는 조급하면 지는 것이라고 했다.

성격이 급한 부분이 있고 답답한 부분을 견디지 못하는 나는 그 기다림이 어려웠다.

정의를 내린다는 것은 타인과 타인이 만났을 때 합의점을 내려야 정

확하게 알 수 있는 것인데 짝사랑은 내 마음과 상대방의 마음이 동일하지 않기 때문에 그것이 쉽지 않다.

항상 회사에서 매일 보다가 먼 거리에 있어서 보지 못하는 마음은 또한 다르다.

그는 고향으로 도착해서 나에게 꾸준히 연락을 해줬고 멀리 있어도 가까이 있는 것처럼 대화했다.

멀리 있는 상황 속에서도 나를 생각해 준다는 그 마음이 나의 마음을 뭉클하게 해줬다.

그래서 더 보고 싶은 마음이 컸다.

약속을 잡기는 어려웠지만 타이밍이 하루가 맞아서 처음으로 둘이 보게 되었다 2주가 안 된 시간이었지만 시간이 엄청 오래된 것 같은 기분이 들었다.

하루 종일 그의 생각으로 가득했다. 이런 기분은 처음인 거 같다.

보통 짝사랑을 하면 이뤄지지 않다는 말이 있어서 한편으로는 자신감이 많이 떨어지기도 했다. 힘들기도 했다

매일 일하면서 볼 때는 편한 차림 화장도 안 한 모습의 나였지만. 그날은 일찍 일어나서 화장도 하고 옷도 여러 번 갈아입고 최대한 평소와 다른 모습으로 만나고 싶었다.

안 하던 귀걸이도 하고 꾸미게 되었다. 약속 장소에 도착했다. 둘이 본 건 처음이었다. 여러 사람과 같이 있을 때는 어색하지 않았는데 둘

이 처음으로 보니 낯선 부분들도 있었다.

서로의 성향이 다른 부분들도 분명히 있었다. 하지만 이 사람과 있다 보면 서로의 장단점이 보안이 될 수 있겠다고 생각하게 된다.

그의 인생 스토리를 단편적으로 들어보니 귀 기울이게 된다.

그도 나의 이야기를 듣고 비슷한 부분이 많이 있다는 사실을 깨닫게 된다.

짧은 만남이 오래 만났던 사이처럼 신기하게 모든 부분이 통했다.

그 이후 여러 번의 만남을 통해서 연인으로 발전하게 되었다. 호감의 단계가 간질간질한 마음도 들기도 하고 애타는 마음들이 힘들 때도 있었지만 누군가를 좋아한다는 마음은 그 사람만 바라보게 하는 시간, 나의 인생이 멈춰지면서 그에게 집중하게 된다.

그를 만나기 전까지만 해도 나의 삶은 크게 변화가 없었지만 나에게 선물 같이 찾아와준 그를 만나고 많은 변화들이 일어나기 시작했다.

그와 연애를 시작하면서 바뀐 나의 생활

우선 현재 나는 작은 원룸에서 살고 있다. 여기에 이사 오기 전에는 기숙사를 시작으로 원룸까지 이사 오기 전까지 많은 일들이 나에게 일어났다. 부모님과 떨어져서 나의 첫 공간은 기숙사 1인 2실이어서 모르는 사람과 한방을 나눠서 사용했다. 서울에서는 한방에서 혼자 지내면서 불편함이 없었는데 타인과 살아가는 게 너무 불편했다. 출퇴근 시간도 항상 동일해서 혼자만의 시간을 갖기도 어려웠다. 3개월 정도 지내고 도저히 안 되고 있어서 방을 알아봤다.

최대한 돈이 적게 나가면서 합리적인 곳을 찾기 위해 여러 부동산을 돌아다녔다. 그러다가 발견한 1층에 있는 작은 원룸 한번 보고 여기다 생각을 해 하루만의 결정하고 그 주에 이사했다. 이곳에서 6개월을 넘는 시간을 함께했다. 이사를 하면서 설레기도 했지만, 가족도 아무도 없는 공간에서 생활하다 보니 기숙사 보다는 편했지만, 한편으로는 외로움이 생기기도 했다.

원래 고향보다는 멀리 이사하게 됐지만 쉬는 날만 되면 서울에 서 가족들과 친구들을 만났다. 이사 온 곳에는 친구들이 없기 때문에 일을 다 끝내고 쉬는 날 만 기다려졌다. 내 편이 있는 곳에 간다는 건 정말 설레고 마음이 따뜻해지고 위로를 받을 수 있었기 때문이다.

하지만 이곳에서의 행복도 어느 순간 무너지는 시간이 생겼다. 이곳은 주택가로 쓰레기를 1층밖에 한 번에 버리고 놓기 때문에 매번 쓰레기가 쌓이고 벌레들도 많이 생기는 곳이 있다.

문제의 시작은 새벽 불을 다 끄고 잠을 청하고 있었는데 갑자기 몸이 놀라고 있는 것이 느껴졌다. 고요한 곳에 나 혼자 있어야 하는 곳에 꼭 느낌이 나 혼자 있다는 생각이 아니라 누군가가 침입했다는 생각이 들었다. 뭐지 의아하고 소름이 끼쳤다. 쓱 갑자기 무언가 스쳐 지나갔다. 불이 꺼져 있지만 물건들이 바스락 소리를 내고 엄청나게 지나갔다는 사실을 부정할 수 없었다.

혼자 있어서 더 무서웠다. 내 힘으로 할 수 있는 영역이 아니었기 때문이다.

그건 무엇이었을까 이건 꿈일까? 내가 지금 꿈꾸는 상태인가? 아닐 꺼야 생각을 하면서 마인드컨트롤을 해갔다.

몸을 뒤척였다 아닐 꺼야 생각하면서 눈을 감았다. 그 순간 찍. 소리가 들렸다.

이건 분명하다. 쥐였다. 집 안에서 쥐가 있다니 상상하지 못하는 일이 일어난 것이다. 다른 것은 그렇다고 해도 쥐는 태어나서 한 번도 잡아 본 적도 없고 정말 싫어하는 것이기 때문에 더욱 당황스러웠다. 어떡하지 멀리 있는 아빠에게 전화해서 잡아달라고 할 수도 없고 주말이고 새벽이라서 세스코를 부를 수도 없는 상황이었기에 더욱 당황스러웠다. 우선 방에 있는 모든 불을 켜고 운동화를 신고 매트 위에 올라갔다. 짐을 싸서 서울로 도망을 가고 싶었지만, 출근도 해야 했고 현실적으로 서울을 갔다 와도 다시 쥐와 마주쳐야 했기에 매트 위에서 다양한 생각을 하게 되었다. 2시간이 지났을까? 너무 놀라다 보니 그 안에 있는 시간이 그렇게 많이 흘러갈지 상상하지 못했다. 새벽에 아빠에게 전화해서 무서움을 달래고자 내 현재 심정과 쥐를 어떻게 잡아야 할지 아빠에게 물어봤다. 내가 너무 노래하고 무서워하는 게 느껴지시는지 우선 차분하게 생각하라고 하셔서 그나마 아빠랑 통화를 하니 그 순간적인 마음은 위안받았다.

그 전날에 일정들이 너무 많아서 몸이 많이 지쳐있었고 몸 상태도 안 좋고 너무 피곤한 날이었기에 잠을 자고 싶었다. 안 되겠다. 오늘 운이 좋아서 쥐를 봤을 뿐 그동안 나 몰래 쥐가 활보를 계속했겠다고 생각했다. 불을 켜고 억지로 자 보자 이건 꿈이다. 생각하면서 잠을 자기로 결심했다. 쥐는 사람을 해치지 않는다. 밝은 공간을 싫어한다. 쥐에 대해 아는 정보는 거기까지였다. 여름이었지만 쥐가 내 살을 혹시 스치지 않을까 염려되어서 긴 팔, 긴 바지, 장갑 모자 있는 잠바까지 입고 이불로 내 온몸을 감싸고 쥐가 지나가도 소름 끼치지 않을 정도로만 보호했다. 내가 할 수 있는 최선의 방법이었다.

일반적인 사람들은 쥐를 잡거나 다른 방법을 해보았을 텐데 그 순간 생각나는 건 그것뿐이었다.

새벽이라는 시간 고요하게 잠을 청하고 하루를 마무리 잘한 나에게 꿀잠을 선물하고 싶었는데 그게 물거품이 된 거 같아서 속상했지만 힘겹게 잠을 청했다.

쥐가 한 마리가 있으면 수많은 쥐가 있다는 말을 들은 적이 있다. 다음 날도 그렇게 잠이 들었다. 이번에는 쥐 3마리를 더 봤다. 그리고 생각했다. 여기서는 살아갈 수 없겠구나.

그리고 부정적인 생각들도 많이 들고, 어른들이 하는 말씀처럼 어디서 살아가느냐에 따라 생각이 바뀐다고 하였다.

돈을 더 주더라도 나의 생활 환경들이 바뀔 수 있는 곳을 찾아야겠다고 생각했다. 내가 변화 할 수 있는 공간, 생각만 하고 하지 못했던 모든 것들을 해보자. 돈을 모으는 것도 중요하지만 내가 그 돈을 어떻게 사용하는지에 따라서 많은 것들이 달라진다는 사실을 알았다.

이사를 어디로 가야 할지 고민하던 중 그가 신도시 쪽으로 추천해 줬다.

한 번도 가보지 않았던 곳, 현재 있었던 곳보다는 거리가 있었지만, 그곳을 가본 후 생각이 바뀌었다.

살아온 환경이 순식간에 바뀐 기분이 들었다. 신도시라 그런지 주변에 상권도 잘 형성이 되어 있었다. 마트, 영화관, 카페, 병원 등 집 근처에 가까이 있고, 전체적으로 깔끔해 보였다. 집을 몇 군데 보고 2주 정도가 시간이 흐른 후 괜찮은 집을 발견해서 바로 계약했다. 집을 알아볼 때도 그가 많은 이야기를 해주었다.

혼자 집을 보긴 했지만, 그는 세심하게 어려운 부분들이 있다고 하면 바로 도와줘서 고마웠다. 그를 만난 후 이사를 하고 이 근처로 운동도 시작하고, 책을 쓰면서 이야기를 전하는 작가가 되고 있다.

예전에는 일어나기만 해도 몸이 많이 지치고 어두운 마음이 들었는데 지금은 아니다.

그를 만나고 새로운 환경이 바뀌고 자신감도 많이 생기게 되었다.

나에 대해 더 집중할 수 있게 되고, 출근 전에 운동을 다니면서 활력이 많이 생기게 되었다. 나에게는 그는 선한 영향, 안정감, 말없이 응원해 주는 사람이다.

그와 연애의 시작

연애를 시작하면서 느낀 마음은 그는 내가 생각했던 부분들보다 더 밝고 따뜻한 사람이었다.

그리고 나에 대해 집중하고 들어줄 수 있는 사람이고, 희망을 선물해 준 그였다.

나도 자연스럽게 그로 인해 모든 부분들이 좋은 쪽으로 바뀌다 보니 안될 것으로 생각했던 부분들이 다 잘될 수 있다는 마음으로 바뀌었고.

나 자신보다 타인을 생각만 했던 부분이 나 자신을 집중하게 해주었고 더 나은 나 자신이 될 수 있도록 격려를 해준 사람이다.

오빠랑 메신저로 이야기를 매일 하면서 우리는 부정적인 말들 보다 우린 할 수 있어. 너로 인해 나 또한 좋은 쪽으로 바뀌고 있어. 우리 앞으로 좋은 추억들 많이 쌓아보자. 너와 함께 있으면 미래도 기대가 된다. 그 말이 단순한 말이 아닌 서로 실행하고 있고, 보이기에 확신이 생기게 되었다.

우리는 주종도 잘 맞아서 서로 데이트 하면서 술 한잔씩을 하면서 현재 미래에 관해 이야기를 하는데 거부감이 없고, 진지한 이야기도 즐겁게 말한다.

사소한 말 한마디에도 웃음이 난다.

우리는 집 근처에 나와서 편한 옷을 입고 맛있는 것을 먹고 소소하게 데이트하는 것을 좋아하는 편인데 가끔 여행을 간다.

사귀고 첫 여행은 가평을 가게 되었다. 즉흥적으로 여행을 가자고 했는데 그가 바로 가자고 해줘서 고마웠다. 여행을 하기로 한 날에 비가 엄청나게 내려서 걱정을 진짜 많이 했다. 운전을 그가 해주기 때문에 미안한 마음도 들었다. 하지만 여행 마무리까지 불평 없이 함께해준 그에게 고마운 마음이 들었다.

그는 사진 찍는 것을 별로 좋아하는 편은 아니지만 같이 있다 보니 그도 점점 즐기는 게 보였다.

사랑하면 닮는다는데 만난 지는 얼마 안 된 시간이지만 서로 비슷한 부분들이 많이 있었다.

이번 여행의 목적은 단풍을 보려고 했어요. 비가 와서 다 떨어져 있을까 봐 걱정했지만, 너무 예쁘게 펴있어서 감동했다.

이날 처음으로 맞춘 커플 운동복을 입고 사진을 찍고, 진지한 이야기도 많이 하게 되었어요.

우리가 만난 지 한 달 반이라는 시간이 지날 즘, 자연스럽게 결혼에 대한 이야기가 서로가 비슷한 시기에 느끼게 되었죠. 우리는 각자 결혼해야 한다고 생각하지 않았는데 이 사람이라면 나의 배우자로 선택하면 잘 살 수 있고 서로의 부족한 부분을 채워 줄 수 있는 사람이 되겠다고 생각하게 되었고, 이야기를 하다가 자연스럽게 결혼 준비를 해보자 까지, 이어지게 되었다.

사실 100퍼센트 그 사람에 대해서 알지는 못하지만, 확신은 있었다.

보통 결혼하는 사람들은 만났던 시간과 상관없이 느낌이 온다는데 딱 그랬다.

서로 결혼식 보다 우리가 잘 사는 것이 더 중요하다는 생각도 비슷했다.

이 이야기를 쓰고 있는 시점은 결혼 준비 과정 중에 글을 쓸 수 있는 시간도 주어져서 예비 남편에 대한 내 마음에 대해 써 내려가고 싶었다.

부모님을 뵙고, 웨딩스튜디오 사진을 예약하고, 집에 관한 이야기도 하면서 조율 중이다.

이번 해에 연애하고 결혼까지 하게 될 줄은 꿈에도 상상을 못 했다.

막상 결혼에 대해 생각에 관해 결정이 완료가 되고 난 후 마음이 편해지고 자연스럽게 안정감이 들게 되었다. 서로 엄청난 것을 해주기보다 상대방 말에 귀 기울여 주고 세심하게 배려를 해주고 받는다는 것이 행복이라는 사실이 명확해졌다.

연애와 결혼에서 가장 중요한 부분은 나 자신을 잃지 않고, 내가 가고자 하는 목표와 상대방이 가고자 하는 꿈과 목표를 위해 응원해 주고 격려해 준다는 게 정말 중요하다고 느꼈다. 앞으로 우리의 결혼 생활의 꿈이다. 앞으로 그려져 나갈 함께 할 인생이 기대된다.

그에게 전하는 편지

오빠를 만난 후 나의 인생은 많은 부분이 바뀌었어요.

희망이라는 단어를 보이기보다는 걱정인 인생에서 오빠를 만난 후 자신감이 생기고 안정감이 생기게 되었어요.

우리가 만난 기간은 얼마 안 되지만 서로 알고 지낸 시간이 벌써 1년이 돼가네요.

우연한 기회를 통해 서로를 더 깊이 알게 되면서 정말 행복했어요.

이젠 우린 연인에서 부부의 연으로 만나서 앞으로 평생 살아가는 과정 중에 서로 힘들도 어려운 일들이 있어도 잘 이겨내 보아요.

우리가 만나기 전에는 각각 결혼에 대한 생각이 없었는데 서로가 생각을 바뀌게 해준 잘 맞는 사람을 찾았다는 게 신기하네요.

저의 부족한 부분을 항상 사랑으로 봐줘서 고마워요. 어설픈 부분이 있다면 웃어주면서 채워주는 모습이 감사합니다.

우리가 약속했던 계절에 맞는 제철 음식으로 먹으러 다니고 1년에 한 번씩 결혼기념일에는 여행을 다니면서 소소한 행복들로 가득 채워 보아요.

오빠랑 여행하면서 새로운 요리도 많이 만들어주고, 먼 길 운전을 해도 짜증 한 번 없이 다녀와 줘서 고마워요.

우리는 서로 이야기할수록 비슷한 부분들이 많아요. 서로가 좋아하는 음식, 여행 등 그 안에서 서로에 대해서 알 수 있었던 시간이 있기에 또한 새로운 결혼이라는 인생 스토리를 통해 우리가 가야 하는 그 모든 길 또한 지루한 인생의 스토리가 아니라 긴 터널 속에 있어야 하는 많은 이야기들을 통해서 우리가 가져야 하는 동일한 마음가짐을 잊지 말고 살아가요.

내가 항상 응원하고 많이 힘주도록 노력하겠습니다. 내 편 사랑합니다.

운이 좋다, 난 (Lucky Human)

최문희(앨리스)

최문희
(앨리스)

왓썹영어, 왓썹파닉스 원장, 한국영어교육게임협회 회장, 석현문장학회 운영, alice phonics 저자

blog: https://blog.naver.com/aliceinkiz

instagram: https://www.instagram.com/whatsup_alice/

email: aliceinkiz@naver.com

From the Egg to the Caterpillar

1. 숯깜댕이

2. 서글픈 감자

3. 장기 결석

From the Caterpillar to the Pupa

4. 뉴질랜드 초등학교

5. 캐나다 고학생

6. 집사와 주방 찬모

From the Pupa toward the Butterfly

7. 왓썹의 시작과 고난

8. 새로 나는 왓썹과 왓썹파닉스

9. 석현문장학회

To the Nature

10. 세상 떠나는 날

Episode 1] 숯깜댕이

1970년 겨울, 말발굽소리가 요란할 것 같은 강원도 영월군 마차리에서 태어났다. 명문고를 나왔으나 심장 질환으로 아팠던 아빠는 가장으로서의 역할은 역부족이었고 틈나면 가무를 즐겼다. 한편 남편 대신 가장의 역할을 할 수 밖에 없었던 엄마는 동네 사람들이 여장부라고 부를 정도로 치열한 삶을 살았다. 언니가 넷이었던 집에서 다섯째는 아들이기를 바랐던 할머니는 원하던 사내아이가 아닌 나를 받고는 눈길 한 번 주지 않았다. 싸늘한 할머니와 냉담한 엄마의 덕으로 세상과 만나게 되었다.

나는 일단 살색이 다르다. 언니들은 모두 분첩을 바른 아기씨들 같이 환하고 흰 피부를 가졌다. 하지만 엄마는 나를 처음 보았을 때 너무 놀라 던질 뻔했다고 했다. 엄마의 표현을 빌리자면 숯깜댕이가 나온 줄 알았단다.

탄광촌이었던 고향에서 사람들의 주된 직업은 탄광과 관련한 일이었다. 일과를 마친 후 해가 뉘엿뉘엿 저물녘이면, 아낙들은 집 앞 개울가에서 수다를 떨며 하루를 정리했다. 나를 임신했던 당시 엄마는 피부색이 짙은 다른 아줌마들을 까맣다고 장난치며 놀렸다고 한다. 어느 날인가 아주머니 한 분이 "은미(큰 언니 이름)엄마! 자꾸 그러면 숯깜댕이 낳는다."하며 정색을 했다고 한다. 훗날 엄마는 남 얘기 함부로 하는 게 아니라며 후회했다.

아들의 입신양명을 기대했던 할머니는 아픈 아들을 구박하기보다는 팔자 센 여자가 집에 들어와 남편의 앞길을 막는다며 엄마 탓을 하곤 했다. 그럴 때면 엄마는 그 화살을 다시 내게 돌렸다. 당시 닥치는 대로 일을 했던 엄마는 종일 밖에서 머무는 날이 많았다.

어느 날 엄마는 포기의 심정으로 나를 얼음장 같은 윗목에 누이고 얇은 이불만 덮어놓은 채 일을 나갔다. 그날 밤 냉기가 흐르는 방을 들여다본 엄마는 펑펑 울었단다. 그녀가 나를 찾았을 때 그 숯깜댕이가 싱글생글 웃고 있었기 때문에. 얼마나 마음이 아팠을까? 그때부터 웃음은 내가 사람들 앞에서 본능적으로 드러내는 방어기제가 되었나 보다. 채 돌도 안 된 젖먹이는 얼마나 춥고 배고팠을까? 하지만 살아야만 하는 운명이었나 보다.

운이 참 좋았다, 난! - 살아남아서!

Episode 2] 서글픈 감자

불에 탄 껍질은 숯처럼 딱딱하지만 그 안에 부드러운 속살이 드러나는 구운 감자를 볼 때면 늘 눈물이 난다.

어린 시절 한 번만 뒤척여도 몸이 맞닿는 단칸방에서 여섯 식구가 살았다. 윗목에는 엄마와 아빠 그리고 남동생, 아랫목에는 두 언니와 나! 그렇게 부대끼며 살았으니 서로의 속내를 잘 알 만도 한데 우리 자매들은 그렇지 못한 편이다. 일찍이 각자도생의 삶을 산 탓일까? 언니들과 이야기를 나누어 보면 부분기억상실증처럼 그 시절 서로의 존재를 모르는 면들이 많다.

1미터 20센티 남짓한 키에 머릿니가 있어 늘 짧은 머리를 하고 까만 피부에 성별이 불분명해 보이는 아이, 부모의 보호막이 없는 것처럼 보이는 내가 국민학교 1학년 때 가출을 감행한 적이 있다. 이유는 잘 모르지만 한 가지는 확실했다. 엄마를 걱정시켜 나의 존재감을 보여주겠다는 생각이었다. 동네를 벗어나 멀리멀리 가려고 했다. 엄마 손이 닿지 않는 곳으로. 하지만 그게 진심은 아니었나 보다. 지나가는 길을 잊지 않기 위해 큰 가게들의 간판을 외우며 걸었다. 더 이상 외울 수 없을 때쯤, 다리가 아파 더 이상 걸을 수 없을 때쯤 다다른 곳은 제천역이었다(어른이 된 후에 다시 가보니 차로도 30분 이상 거리였다.

칙~~칙~~거리는 기차 소리! 역 앞엔 누군가를 기다리는 차들! 헤어지고 만나는 사람들의 소리! 모든 게 낯설었다. 작고 어렸던 나에게 그곳은 거인국의 나라였다. 난 얼음장 같은 몸을 녹일 곳이 필요했다. 역사 안으로 들어서니 중앙에는 떠날 채비를 하는 사람들이 난로 옆에 오순도순 모여 있었다. 어른들 사이를 비집고 들어가 따스한 온기가 나를 감쌀 즈음 한 아저씨의 손길이 나를 향했다. “야! 너 이 감자 먹을래?” 하며 건네준 것은 살집이 살짝 붙어있는 그을린 감자껍데기였다. 어린 마음에 “저 거지 아니에요!”라고 소리치며 소굴을 빠져나왔다. 배고픔과 추위 속에서 내 걸음은 다시 집을 향했다. 우여곡절 끝에 집에 도착하니 때마침 저녁 시간이었다. 온종일 내가 가출을 했었는지, 놀다 왔는지 관심도 없던 식구들. “밥 먹어!”라는 소리가 들려왔고 나는 아무 일 없이 밥상자리를 찾아 조용히 숟가락을 들었다.

운이 좋았다, 난! - 가출이 실패해서 그리고 안 들켜서.

Episode 3] 장기 결석

국민학교 3학년 늦가을 즈음부터 학교를 가지 않았다. 난 늘 존재감이 없었다. 행색이 초라하기도 했지만 항상 소극적인데다 왕고집이기도 했다. 누군가 말을 걸면 금세 얼굴이 벌개지고 친구들과 소통하는 법이 아주 서툴렀다. 그러던 어느 날, 그날도 조용히 앉아있는데 우리 반 남자애 가운데 일진격인 아이가 다가왔다. "야! 최문희! 너 나랑 사귄다고 소문냈냐?", "내가 네 자기야?", "너 내 인생 책임질래?"하며 다짜고짜 나를 몰아세웠다. 그 옆에는 그의 똘마니들이 키득거렸다. 난 바보처럼 "그런 말 한 적 없어."라고 소리치며 뛰쳐나갔고 뒤에 밀려오는 모멸감이 너무 컸다. 종이 울리고 난 뒤에 교실로 돌아가야 하는데 아무도 찾는 사람이 없었다. 그래서 교실로 들어갈 수 없었다. 결국 그냥 집으로 갔다. 작은 집 공간만이 나를 주인공으로 받아주는 것 같았다. 그날 저녁 근처에 사는 반장이 가방을 건네주며 말했다. "야! 너 선생님이 내일 학교 나오래."

다음 날 학교 정문까지 갔지만 내 발걸음은 맞은편 뒷산인 독순봉으로 향했다. 어린 마음에 그저 반 친구들이 꺼려하는 듯한 느낌이 싫었다. 그렇게 하루 이틀 그리고 한 달, 두 달이 훌쩍 지났다. 학교에 있어야 할 시간에 묘지들과 작은 동물들이 있는 산등성이에서 혼자 놀았다. 그러다가 너무 추웠던 어느 날에 빈집으로 살며시 돌아갔다. 잠시 후 밖에서 딸랑거리는 쓰레기차 소리가 들렸다. 무심코 쓰레기 버리러 나갔다가 동네 아줌마에게 들키고 말았다. “문희야! 너 왜 학교에 안 가고 나왔어?” “어 어 어.....” 뭐라고 대답을 할 수 없었다. 결국 장기결석은 그렇게 끝이 났다.

그리고 그 겨울에 아빠는 하늘의 별이 되었다. 돌아가시기 며칠 전에 내게 건넨 학교에 다시 가라는 말씀은 유언이 되고 말았다. 학교로 돌아갔을 때 친구들은 멀뚱거리며 바라만 보았다. 반갑다거나 돌아와서 기쁘다거나 하는 말 한마디 건네는 친구는 없었다. 하지만 그때 나는 아빠의 말을 잘 듣는 딸이 되려는 마음에 책상을 지켰다. 이후 6학년을 마치고 졸업식에서 나는 정근상을 받았다. 많은 날을 결석했으나 담임 선생님이 처리를 하지 않았던 탓이다.

운이 좋았다, 난! - 선생님의 직무유기로 인해 의무교육을 마칠 수 있어서.

Episode 4] 뉴질랜드 초등학교

20대 후반, 영어강사로 일하던 친구 혜준이가 영어학습지회사에 나를 소개 시켜주었다. 그녀는 언제나 멋져서 난 그녀 따라하기를 좋아했다. 영어와의 인연은 그렇게 시작되었다.

하지만 외국인이 말을 건네올 때마다 늘 두려움이 앞섰고 그런 내 자신이 부끄러웠다. 그러다가 작지만 야무진 결심을 했다. 교실에 앉아 책으로 배우는 것이 아니라 현장에서 부딪치면서 배워보기로. '일단 떠나자! 가면 무엇을 할 수 있는지 보이겠지. 설령 알지 못하는 세상일지라도 차차 알아지겠지.' 이어 영어강사를 그만두고 비행기를 탔다. 한국인이 거의 살지 않는다는 뉴질랜드 크라이처치를 향했다.

제천역보다도 작은 공항에 내려 택시를 타고 다운타운의 백패커하우스로 갔다. 다음날 지도를 펴놓고 근처의 여러 초등학교에 전화를 걸었다. 한국에서 온 학생인데 자원봉사를 하고 싶은데 가능한지 수소문했다. 하지만 모두들 정중히 거절했다. 학부모 자원봉사자들이 많으니 필요 없다는 응답이었다. 사실은 서투른 영어가 큰 이유였을 것이다. 그런 식으로 여러 학교에서 거절당했지만 포기하지는 않았다.

이후에는 발품을 팔아 직접 학교들을 찾아 나섰다. 그러던 어느 날 아침 St. Mary Primary School에서 교장 선생님이 등원하는 학생들을 하나하나 따뜻하게 맞이하는 풍경을 보게 되었다. 너무 좋은 모습이었다. 선생님의 인품 또한 훌륭해 보였다. 다가가서 내가 왜 오게 되었는지를 설명했다. 잘 배우겠노라고 약속도 했다. 그분은 찾아온 용기가 대견하다며 1학년 교실에서 맘껏 배워보라고 허락해주셨다. 미술시간에는 아이들의 다양한 재료를, 쉬는 시간에는 아이들의 놀이를, 국어시간에는 글자 읽는 방법인 파닉스(Phonics)를 함께 배우며 보람을 찾았다. 허드렛일이 대부분이었지만 훗날 큰 자양분이 되었다.

수업 후에는 여타의 활동을 비롯하여 시각 장애인을 위한 모금행사와 같은 봉사활동에도 열심을 내었다. 그러다 날이 저물면 호스트마더(하숙집 주인할머니)과 밤문화를 즐겼다. 할머니의 소일거리인 카지노와 경마장 가는 길을 에스코트하는 일이 주요 업무였다. 그렇게 밤낮으로 열심히 살아내던 시절이었다. 언젠가 도심에서 슈퍼를 운영하던 이민 1세 아주머니가 응원의 말을 건넸다. "20여 년 남짓 여러 유학생과 한인들을 보았지만 너처럼 열심히 오뚜기처럼 씩씩하게 일어서는 친구는 처음 본다."라고.

운이 좋았다, 난! - 단순히 포기하지 않고 덤빈다고 다 이루어지는 것은 아닌데도 나름의 성취를 할 수 있었으니.

Episode 5] 캐나다 고학생

뉴질랜드에서 돌아와 정착하기보다는 오히려 바람을 탔다. 당시 캐나다에서 공부하고 있던 혜준이를 찾아갔다. 비행기 티켓도 혜준이가 제공했다. 매일 그녀의 수업이 끝날 때까지 기다리며 근처를 배회하다가 친구를 만나면 내일이 없을 것처럼 놀았다. 끊임없이 즐거웠고 추억은 시간만큼 쌓여갔다. 3주로 예정한 방문의 막바지에 이를 즈음 문득 나도 그녀처럼 공부하고 싶어졌다.

하지만 무일푼이었던 내게 방법은 없었다. 고민 끝에 이민 1세인 피터(Peter) 원장님이 운영하는 벤쿠버의 랍슨 칼리지에 찾아갔다. 경력이 많은 선생님들과 알찬 수업으로 유명한 학원이었다. 성메리초등학교(St. Mary school)에서처럼 피터에게 부탁했다. "공부를 하고 싶은데 돈이 없다. 청소라도 할 테니 공부할 수 있는 기회를 달라. 열심히 배워서 한국에 돌아가면 그 고마움을 반드시 누군가에게 돌려주겠다." 라고. 하지만 피터는 냉담했다. 그럼에도 다음날부터 계속 찾아가 부탁을 반복했다. 결국 그는 일단 본인의 개척교회를 다녀보라고 했다. 종교가 없던 나는 수요일과 일요일은 물론 종종 새벽예배도 참여하며 나의 절실함을 드러내었다. 그렇게 한 달이 지나자 놀라운 일이 생겼다. 피터가 간밤에 앨리스(Alice-내 영어이름)를 공부시키라는 계시를 받았다고 한다. 다시 기회가 주어졌다. 믿어준 사람들에게 실망을 전하지 않기 위해서라도 열심히 공부했다. 중간레벨 클래스에 입학하여 탑클래스에서 졸업을 했다. 생각해보면 열악했던 환경은 늘 나에게 도전의 기회를 주곤 했었다.

이제 한국에 돌아온 지 어언 20여 년이 흘렀다. 지금까지는 피터와의 약속을 잘 지키고 있다. 물질적 도움과 기회가 필요한 학생들에게 더 큰 보답의 노력을 하고자 노력하고 있다. 이 글을 쓰면서 감사의 인사를 전하고 싶어 랍슨칼리지의 피터를 수소문했지만 찾을 수가 없었다. 아무쪼록 건강하고 잘 지내시기를 기원한다. 더불어 나의 절실한 때(Right time)에 절호의 기회(Right thing)를 열어준 일에 진심으로 고마움을 전한다.

그 당시 혜준이가 건넨 한 마디도 나에게 큰 힘이 되었다.

'나는 80점의 가정에서 태어나 80점의 인생을 살고 있지만, 너는 20점짜리에서 90점의 인생을 살고 있다, 멋진 친구야!" 삶을 점수로 환산할 수 없지만 열심히 살아내는 나의 모습을 응원해 준 것이다.

운이 좋았다, 난! - 도전이 성공으로 이어져서.

Episode 6] 집사와 주방찬모

엄마는 여자는 시집가면 알아서 일하게 될 거라며 부엌일을 가르치지 않았다. 사실은 눈썰미도 없고, 일머리가 없어 미리 포기한 측면도 있다.

랍슨칼리지의 피터가 무상공부를 허락한 행운을 얻었지만 난관이 모두 해결된 것은 아니었다. 생활비도 없고 마땅히 지낼 곳도 없었기 때문이다. 다시금 방법을 찾아 나섰다. 당시 부근에 유학생들을 위한 홈스테이를 크게 운영하던 테시(Tessy)라는 호스트마더가 있었다. 그런데 그녀에게 엄마의 임종을 보러 급히 필리핀에 가야 하는 사정이 생겼다. 그래서 숙식이 가능한 집사를 급구하게 되었는데 무작정 내가 하겠다고 나섰다. 다급했던 그녀는 나를 검증도 하지 않고 일단 맡겨놓고 떠났다.

그 집은 화장실이 6개나 있는 큰 공간이었다. 새벽 6시부터 청소를 하고 아침 준비를 했다. 씨리얼과 토스트의 아침은 비교적 간단했다. 점심은 대충 샌드위치를 만들었다. 문제는 저녁이었다. 유학생들은 집에서 먹는 경우가 대부분이었다. 저녁거리 걱정에 엄마에게 국제전화를 걸어 볶음밥, 카레, 국과 같은 레시피를 물었고 엄마는 친절한 답변보다는 귀국을 종용하는 노여움을 더 많이 드러내었다. 이런저런 노력에도 학생들은 냉정했다. 숟가락을 들자마자 내려놓기가 일쑤였다. 난 미안함과 죄책감에 시달렸다.

또다시 행운의 구세주가 나타났다. 얼마 후 벤쿠버에서 우연히 만나게 된 친구 은희가 돌배기 아이를 업고 와서는 한동안 저녁을 지어주었다. 은희는 지금도 도움의 손길이 필요할 때마다 어디선가 수퍼맨처럼 나타나 주는 고마운 친구다. 학생들은 은희의 음식으로 웃음꽃을 피우며 맛있는 저녁을 먹을 수 있었다. 나도 친구 덕분에 한시름 놓았다.

3주 정도가 지나고 테시가 돌아왔다. 다음 거처를 고민하는 차에 테시가 놀라운 제안을 했다. 내 덕분에 엄마의 임종을 지키고 장례를 잘 치를 수 있었다며 욕실이 딸린 방을 선뜻 내주겠다는 것이었다. 거처가 생긴 나는 그 고마움에 틈나는 대로 집안일을 열심히 도왔다. 그러면 그녀는 내게 용돈까지 쥐어 주곤 했다. 살아내는 일이 그런 식으로 풀리며 버틸 수 있었다.

나는 아직도 벤쿠버의 어느 아름다운 순간을 생생히 기억한다. 일과를 마치고 돌아오는 버스 차창으로 보이던 경이롭던 하늘 풍경과 나를 감싸는 따스한 햇살들 사이에서 펑펑 눈물을 쏟았던 그 장면을! 다짐했던 나의 속삭임도 기억이 난다. "이 눈물은 앞으로 내 삶의 큰 밑거름이 될 거야! 다시 시작이야!"

운이 좋았다, 나는! - 포기하면 편할 일도 포기하지 않아서.

Episode 7] 왓썹의 시작과 고난

이후 난 소위 잘나가는 과외선생이 되었다. 그것도 사교육의 메카인 대치와 도곡에서. 한 달씩 여행을 다녀와도 대기 학생들의 수가 줄지 않았다. 방학이면 홍콩에서 들어와 새벽까지 수업을 듣는 학생도 있었다. 내가 영어를 잘해서라기보다는 친절하고 눈높이에 맞게 가르쳐서인 듯했다. 내가 영어를 처음부터 잘했다면 못하는 사람에 대한 이해의 폭이 적었을 것이다. 하지만 내가 잘하지 못했기 때문에 못하는 사람의 안타까움을 이해하는 마음자리가 가능했다. 학생들은 주로 입문자가 많았다. 강남에서 10여 년 차 되던 어느 날 문득 "나는 누구인가? 여기는 어디인가? 어디로 가야 하는가?"라는 물음을 만났다. 보다 내 생각과 부합하는 곳에 서고 싶었다.

적당한 타협점으로 판단한 송파에 개인 학원을 열었다. 왓썹(WHATSUP)은 점차 자리를 잡았고 여러 학생들과 어우러지는 현장에서 생겨나는 행복감은 아주 컸다. 개원 1년 후에는 방이역의 중심지로 확장을 하고 이어 송파동에 2호점까지 열었다. 하지만 사람 관계에 대한 충만한 자신감과 실패를 남의 일로 여긴 오만함은 큰 화가 되어 나를 나락으로 끌고 내려갔다. 살면서 포기와 절망을 모르던 내가 삶을 내려놓고 싶다는 생각을 해보기도 하였다. 죽지 못해 산다는 말도 이해할 수 있었다.

새벽에 나가 걷고 또 걸으며 낮에는 봉사와 무료수업 등을 챙기면서 고립보다는 관계를 선택했다. 정신과 상담과 치료를 받는 한편 몸을 더욱 고단하게 이끌었다. 에너지를 소진한 몸은 불면을 넘어 숙면을 가능하게 하였다. 그렇게 저렇게 시간을 감당해내면서 차차 치유와 회복이 이루어졌다. 그 고통의 시절 속에서 버팀목이 되어준 남편, 혜준이 그리고 진심으로 손을 내밀어준 학부모님들과 주변 원장님께 늘 고마움을 잊지 않는다. 결국 내 열정의 산물이었던 송파의 왓썹은 실패의 교훈으로 다시 일어서게 하는 힘이 되었다.

어느 날, 엄마에게 물었다.

"엄마는 살면서 언제가 제일 힘들었어?" "남편 잃고 새끼 넷 입에 뭐라도 넣어 주려면 힘들 겨를이 어디 있었겠어? 그냥 사는 거지."

운이 좋았다, 난! - 고난의 시간 속에서 내 편들을 얻을 수 있어서.

Episode 8] 새로 나는 왓썹과 왓썹파닉스

상처가 아물고 마음이 단단해져 갈 즈음에 민성엄마에게서 연락이

왔다. 미사에 학원을 열어주면 좋겠다고. 마음이 끌렸다. 바로 미사지역 답사를 나섰다. 당시 미사는 작은 신도시가 막 생기는 중이었다. 분양 현수막들이 도처에 날리고 곳곳이 공사 현장으로 어수선했다. 그 와중에 짓고 있던 상가를 하나 계약했다. 몇 달을 기다려 입주를 하고 학원으로 꾸몄다.

학원을 열고도 한동안 사람 보기가 힘들었다. 이제 막 입주가 이루어지는 중이라 인구 규모가 적었기 때문이다. 하지만 지금 생각해보면 그때도 좋았다. 누군가를 기다리며 하루를 시작하고 내내 준비하며 설레던 시절이었으니 차츰 밝음을 회복하던 시기였다.

수줍은 아이도 자신의 이름을 불러주면 부끄러워하면서도 본인의 존재감을 느끼고 작은 행복감을 맛보기 마련이다. 왓썹의 아이들은 대체로 그런 자존감이 높고 자유로운 편이다. 거기에 오랫동안 게임을 통해 파닉스(영어발음법)를 접목한 나의 노하우가 아이들의 성취감과 자신감을 더해주는 것 같다. 한국에서 영어를 배우는 많은 학생들이 읽기는 잘하면서도 정작 제대로 말을 꺼내지 못하는 경우가 많다. 그래서 나는 특히 영어로 말하기에 주안점을 둔다.

그 과정에서 알로(Alo)를 만난 것도 큰 행운이다. 필리핀 사람인 그녀는 한국 영어 교육에 대해 나와 같은 문제의식을 가지고 여러 노력을 함께 기울였다. 우리는 아이들에게 잘맞는 해결점을 모색했고 그 결과 좋은 성과들을 얻어가고 있다.

거기에 더해 2023년 하반기에는 마침내 왓썹파닉스를 개원했다. 내 소원 가운데 하나였던 파닉스만을 위한 특화된 공간으로서의 왓썹파닉스가 만들어진 것이다. 내심 기쁘고 큰 보람으로 여긴다. 맘껏 놀면서도 더 잘 배울 수 있는 장소가 될 것으로 기대한다. 특히 신경을 쓴 부분은 복도에 설치한 대형 나비 그림과 문틀로 만든 무지개 벽이다. 다양성이 공존하며 꿈꾸는 날개짓들로 인해 모두 아름다운 삶을 성취하기를 바라는 마음을 담고 싶었다. 독순봉에서 혼자 놀던 꼬마 아이는 왓썹의 학생들이 한층 행복한 인생의 주인이 되기를 소망할 따름이다. 무언가를 하면 반드시 무언가가 일어난다.

운이 좋았다, 난! 고생은 늘 보답을 가져와서.

Episode 9] 석현문장학회

내 엄마의 이름은 이석자! 차돌처럼 단단하게 세상의 풍파에 꿋꿋이 자신의 역할을 다했던 멋진 여인!

동생 이름은 최현식! 엄마의 자랑이자 전부였던 그, 하늘의 별이 되고서는 나에게도 자랑이 된 내 동생!

나의 이름은 최문희! 글을 좋아하는 여자가 되라는 의미의 문희!

이렇게 세 사람의 중간이름을 따서 만든 석현문장학회!

새벽에 울리는 전화는 희소식인 경우가 잘 없다. 그날의 전화벨 소리는 아직도 생생하다. 엄마였다. 갑자기 허리가 너무 아파 기어갈 수도 없다고. 방법을 찾아 달라고. 처음이었다, 엄마가 부탁한 것은. 그런데 그것은 결국 엄마의 마지막 부탁이었다. 작은언니가 앰뷸런스에 엄마를 모시고 제천에서 달려왔다. 달려라병원에서 검사를 해보고는 다른 병원으로 갈 것을 권유했다. 다시 달려간 아산병원은 응급실에서 받아주기를 거부했다.

돌고 돌아 강동성심병원에 이르러서야 비로소 자리를 얻을 수 있었다. 진통제를 대량 투하한 후에 담당의사는 호스피스 병동으로 엄마의 병실을 배정했다. 그땐 몰랐다. 호스피스가 어떤 의미인지. 위암 4기! 암세포가 사방으로 번져 척추에까지 전이되었고 그동안 통증을 어떻게 견뎠는지 이해가 가지 않는다고 했다. 앞으로 한 달 정도의 시간이 남았다고 전한다.

바로 지난 주말에 가서 같이 밥 먹고 하룻밤을 보내고 왔는데 그렇게 멀쩡했던 엄마의 여명을 언급하는 그 의사가 미웠다. 혼자 몸으로 4남매 키우느라 평생 고생만 가득했던 엄마에게 좋은 시절 한 번 열어주지 않은 세상이 싫었다. 입원하면서부터 상태는 급속도로 나빠졌다. 돌아가시는 날까지 음식을 먹은 적도 없다. 먹을 수가 없었다. 물 몇 방울과 영양수액 그리고 다량의 진통제로 목숨을 지탱했다. 혀가 말려 기도가 막힐 뻔한 적도 여러 번이었고 섬망증세로 새벽에 병실을 뒤집어 놓는다거나 자해를 하는 일도 있었다. 엄마를 부둥켜안고 엉엉 울었다. 불쌍한 우리 엄마 이석자! 고생 끝에 낙이 온다더니 세상은 공평하지 않았다. 의사의 말이 틀리지 않는 현실이 싫었다. 엄마는 결국 한 달하고 여섯 째되는 날 아빠를 찾으러 갔다.

그 순간이 아직도 생생하다. 그동안 변을 보지 못해 관장을 하기로 한 날 아침 엄마는 새똥같이 조금 쌌다. 배변은 건강한 삶을 위한 첫 음이라 좋은 일이라고 생각했지만 느낌이 이상해서 출근을 하지 않고 곁을 지켰다. 엄마 곁에서 옛날이야기부터 이런 저런 얘기들을 했다. 사람은 죽을 때까지 청각이 열려있다는 말을 간호하면서 들은 적이 있기 때문이다. 입원 당시와 달리 시간이 지날수록 엄마는 말을 하지 못했고 눈을 깜빡이거나 입가의 작은 떨림으로만 반응하던 무렵이었다. 간병인 아주머니와 늦은 점심을 하려고 보조 의자에 앉으며 엄마에게 "문희 점심 먹는다"라고 말을 전하는데 반응이 없었다. 그렇게 엄마는 내 곁에서 나를 떠났다. 아무 말도 없이. 유달리 엄마의 사랑에 목말라 엄마! 엄마! 하면서 엄마 껌딱지였던 나! 무엇보다 나의 엄마라서 너무 좋았던 엄마가 그렇게 떠나버렸다.

장례식은 기억이 없다. 앰뷸런스 안에 차가워진 엄마를 싣고 빈소로 향하면서부터 3일 내내 기억을 잃었다. 잠시 눈을 뜬 기억이 있는데 엄마를 찾다가 근처 응급실에 실려갔다. 엄마가 떠난 후, 살아야 하는 의미가 없었다. 인생은 역사처럼 반복되지 않던가! 내 삶의 지옥이 또 시작되었다. 먹어야 할 이유, 일해야 할 이유, 숨을 쉴 이유가 없었다. 나의 삶은 살아도 사는 게 아니었고 엄마도 죽어도 죽은 게 아니었다. 난 엄마가 입던 옷을 입고, 엄마의 악세사리를 하며 엄마코스프레를 했다. 가끔 거울을 보면 이석자가 환생한 걸 아닐까하는 의심이 들 정도로 엄마의 유품으로 나를 치장했다. 난 그게 엄마와 함께 있는 거라 여겨 행복했다. 어느 날 큰 언니가 말했다. "엄마를 보내드려!"라고. 엄마가 너 때문에 구천을 떠돈다고. 아.. 엄마는 엄마의 세상이 있는 거였구나.

엄마를 내 마음에서 놓아주는 연습을 할 즈음, 이번에는 동생의 심정지 소식이 들려왔다. 왜 이런 일들은 한꺼번에 몰려오는 걸까? 심장병으로 돌연사한 아빠의 아들이라 늘 걱정했는데 심근경색이라니! 이제 겨우 마흔 다섯인데... 내 동생의 봄은 아직 오지 않았는데 어쩌자고 데려가는 걸까? 결국 동생도 아빠와 엄마를 따라 하늘의 별이 되었다. 동생의 장례식은 눈물과 웃음이 뒤섞이는 공간이었다. 함께 일했던 70대의 어르신들은 목 놓아 울었고 끊임없이 몰려드는 친구들은 현식이의 옛날이야기를 하면 웃고 울었다. 문상객은 끊이지 않았고 발인에 함께한 동생 친구들만 수십 명이 넘었다. 가족들과의 관계는 늘 아쉬움이 있었는데 그나마 친구들과 지인들 속에서는 행복했겠다 싶어 다행으로 여겼다.

호탕한 웃음과 어려운 사람을 보면 그냥 지나치지 못하는 유전자를 준 나의 엄마 이석자! 별이 되고서야 사랑했다는 걸 깨닫게 된 나의 동생 최현식! 그리고 나 앨리스 최문희! 우리는 석현문장학회의 이름으로 공존한다, 피터의 마음과 더불어 여러 인연들을 기억하면서.

운이 좋았다, 난! 이석자의 딸이고 최현식의 누나라서.

Episode 10] 세상 떠나는 날

청첩장을 받으면 굳이 가지 않을 때가 종종 있다. 축하는 내가 아니어도 여러 사람에게 받을 수 있을 거라는 생각 때문이다. 반면 부고를 받으면 마음가짐이 다르다. 한 생을 살았던 고인의 역사에 존경을 표하는 한편 떠나는 길에 배웅해 드리고 싶은 생각에 어지간하면 조문을 간다.

그렇지만 나의 장례식을 생각하면 소박했으면 좋겠다. 시신은 장기기증신청을 해 두었으니 사소한 것이라도 필요한 부분이 있다면 무엇이든지 이용해도 좋을 듯하다. 언젠가 바이칼 자작나무 숲에서 '조장'의 문화를 본 적이 있다, 나무 위에 관을 걸고 시신을 놓아두면 새들이 상당 시간에 걸쳐 쪼아 먹는 방식이다. 산 사람의 입장에서 보면 잔인해 보이지만 죽은 사람에게는 무슨 의미가 있겠는가! 그저 자연과 삶의 순환에 도움이 된다면 그 방법도 나쁘지 않을 것 같다는 생각이 든다. 장례식은 2일장이면 좋겠다. 찾아올 형편이 되는 사람들만 옹기종기 모여 그간의 소식을 전하며 잠시간의 추념으로 대신하면 좋을 것 같다. 고마움과 아쉬움은 나에게는 큰 어른 같았던 남편과 나의 조카님들에게 남기면 좋을 것 같다. 또한 마음과 달리 상황이 되지 않는 분들은 본인의 자리에서 잠깐 동안 나를 기억해주면 그걸로 충분하다.

다음 날 나의 시신은 화장 후 나에게 나의 오렌지 나무 같았던 초이동 근처 사찰 "동사"에 두거나 수목장이면 좋을 것 같다.

사는 동안 나는 참 운이 좋았다. 가난한 집안 이석자와 최주보의 딸

이어서. 가난을 이해하고, 짧은 시간이지만 아빠만의 미스코리아 대접도 받으면서 나만의 방식으로 공주 경험도 하고, 차별과 무관심 속에서 자라나서. 세상을 향해 도전장을 내밀 수 있는 용기가 있어서. 나의 힘겨운 도전에 세상이 멋지게 응답해 주어서. 나의 세상을 넓혀준 나의 친구 혜준이를 만나서. 희생으로 동생들의 앞길을 만들어주고 동행해주는 언니가 있어서. 꼬라지를 잘 부리는 나를 품어주고 언제나 곁을 지켜주는, 바이크를 타는 멋진 철학자 남편을 만나서. 내가 좋아하고 잘할 수 있는 아이들과 함께하는 일을 할 수 있어서. 내 행복의 원천인 왓썹과 왓썹 파닉스를 찾아주고 빛내주는 나의 고마운 학생들과 학부모님 그리고 선생님들이 있어서. 무엇보다 아름다운 이 세상을 한 번 살아 볼 기회가 있어서. 난 엄마의 말처럼 오늘을 또 열심히 살아갈 것이다.

운이 좋다, 난!

불안함에 대하여

박종언

박종언

88년생 대구에서 태어났고 대구에 살고 있습니다. 뭐든 잘하고 싶고 하고 싶은게 많은 남자입니다. 인생 뭐 별거 있겠냐고 생각하지만, 생각보다 별게 많아 자주 당황스럽습니다.

instagram: https://www.instagram.com/polaris3152?igsh=MWFzZWw-wdzNmMDlxaw==

프롤로그

나는 왜 항상 불안할까?

불안함의 사전적 용어는 "마음이 편하지 아니하다" 또는 "몸이 편하지 아니하다"

반대로 생각하면 몸과 마음이 편하다면 불안함은 없어진다.

하지만 몸과 마음이 편하다는 것은 생각보다 쉽지 않다.

건강보험심사평가원의 진료 현황 분석에 따르면 2017년부터 2021년도까지 기준으로 우리나라 인구 약 60%가 우울증 또는 불안장애를 겪었다고 결과를 발표했다.

나 또한 항상 불안감에 시달리며 20대 30대를 지금까지 살고 있다.

대학교를 졸업했을 때 느꼈던 감정이 아직도 정확히 기억난다. "이제 돌아갈 곳이 없구나"

누군가 "직업이 뭐에요?"라고 물어봤을 때 "학생이요"라는 말은 그 때 당시 나에게는 "저는 아직 보호받아야 하는 학생이에요. 그러니까 아직은 조금 더 마음에 여유를 가지고 놀고 싶어요"라는 의미였다. 하지만 졸업 이후 이제는 누군가 직업이 무엇이냐고 물어보면 질문에 대한 답을 꼭 찾아야 할 것만 같아 불안하고 무서웠다.

뉴스에서 청년실업에 관한 이야기를 하고 있을 때 거들떠보지도 않았던 내가 이제는 청년실업률이 왜 이렇게 높은지에 대해 귀를 기울이고, 취업하지 못하는 핑곗거리를 찾아 난 취업을 못한 것이 아니라 어쩔 수 없이 하지 못한 거야 스스로에게 이야기해 주며 자존심을 챙기는 시기가 왔다는 뜻이다.

인터넷에서 구인구직 사이트를 하루에도 몇 번씩 들어가 연봉이 높은 대기업, 중소기업을 보면서 일단 지원해 보자 하고 운 좋게 합격한 곳은 영업직이었다.

25살에 통신사 FM(Floor Manager) 2년 계약직으로 입사해 정규직 전환을 하기 위해 휴대폰 영업을 하는 일이었다. 여기엔 아주 웃기고, 슬픈 에피소드가 있다.

지원 당시에 나는 매장을 관리하는 관리직으로 알고 지원했었다. 서류전형부터 건강검진, 인적성검사, 임원면접, 현장실습, 최종 합격 발표까지 한 달 반 정도 시간이 걸렸고, 거기에 당시 초 대졸 이상만 지원 가능했다. 최종 합격 발표 후 5박6일 대전에 교육을 받고, 발령 받은 곳은 휴대폰 매장 직영점이었다. 출근할 때까지 몰랐다 아 이제 내가 이 매장을 관리하는구나? 하며 아주 셀프 김칫국을 대접으로 원샷 했다. 실상은 난 막내였고, 지금부터 영업으로 실적을 채워 2년 뒤 정규전환을 하는 것이 목표인 완벽한 막내였다. 그때부터였다 모든 영업이 그렇듯 실적에 대한 압박감으로 쉬는 날도 항상 불안했다. 정규직 전환만 한다면 더 이상 불안해할 것 없는 인생을 살 것 같다는 생각을 가졌다.

2년 뒤 정규직 전환을 하고 나서 불안한 마음이 조금은 사라졌을까?

아니, 다시 영업실적에 따라오는 평가를 맞추기 위해 불안하고, 경쟁의식과 자리에 대한 욕심이 생겨 오히려 더 나를 초조하게 만들었다.

난 항상 돈을 많이 벌고 싶었고, 높은 자리에 올라가고 싶다는 욕구가 강했다.

지금까지의 경험으로 난 과감히 서른 살 퇴사를 결심했다. 이후 개인이 운영하는 회사에 관리자로 입사해 3년 뒤 본부장이라는 직책을 달았고, 직원이 많을 땐 30명~40명도 넘는 회사를 만들어 모두와 함께 가꿔 나갔다. 재미있었다. 마음이 맞는 동료들과 무언가를 만들어 간다는 것이 이렇게 재미있는 일인지 그때 처음 알았다. 성과는 빠르게 올라왔고, 군대에서 느낄 수 있었던 전우애 같은 마음이 생겨 매일 매일 웃으며 일했다. 실적에 대한 압박감과 불안감에도 웃으며 일을 할 수 있었다. 당장 내일 실적은 어떻게 하지라는 생각들이 한 달 뒤, 두 달 뒤의 미래를 미리 그려보고 준비하는 마인드로 바뀌어 있었고,

오늘 하루 실적이 없으면 불안한 마음이 한 달은 거뜬히 버틸 수 있는 정신력이 완성되어 있었다.

불안함은 누구에게나 찾아올 수 있으며, 어떤 순간이든 찾아올 수 있다.

그렇기 때문에 불안함을 받아들이고 해결할 방법을 찾아 조금이나마 편안할 수 있도록

조금의 도움이라도 되었으면 한다.

"우울하면 과거에 사는 것이고
불안하면 미래에 사는 것이고
편안하면 이 순간에 사는 것이다."

- 노자 -

내가 불안한 이유?

사람은 누구나 불안함을 가지고 살아간다.

직접적으로 불안함을 느끼게 하는 것들은 모두 예측할 수 없는 미래에 대한 두려움이다.

지금까지 살면서 넘어서기 힘든 것들을 또 힘든 시기를 마주하였을 때 오직 혼자서 해결해야 하고, 어떤 방법으로 어떻게 해야 하는지 도무지 방법이 떠오르지 않기 때문이다.

내 몸은 내 마음대로 할 수 있지만 생각과 마음은 참 쉽지가 않다. 다른 사람에게 조언을 구해 보기도 하고, 책을 찾아 필요한 만큼 읽기도 한다.

나 또한 그랬다 자존심이 센 편이라 혼자서 끙끙 앓고, 아무 에게도 이야기하지 않고, 책이나 유튜브를 보면서 방법을 찾으려 노력했다. 한때 나와 같이 일했던 20대 직원은 나에게 대학교를 가서 공부를 해야 할지, 여기에서 일을 하며 빨리 돈을 버는 것이 좋은지에 대한 고민으로 나에게 조언을 구한 적도 있다. 내가 20대에 경험했던 것들을 이야기해 주며 스스로 꽤 괜찮은 조언을 해주었다. 그리고 퇴근 후 자그마한 책장에 있는 책들을 다시 꺼내 보며, 20대 직원에게 조금 더 도움이 될 만한 이야기들은 없을까 찾아봤다. 하지만 책장 속에 직원의 미래를 바꿔줄 만한 이야기의 책은 없었다. 책은 수많은 정보를 주고, 성장에 대한 원동력과 동기부여를 해줄 수 있지만 선택은 오로지 본인의 책임이기에 그 누구도 더 좋은 미래를 확실하게 만들 수 없다. 물론 좋은 방향으로 갈 수 있도록 방법을 제시해 줄 수는 있지만, 그것 또한 완벽한 답이라고 확신할 수 없기에 함부로 다른 사람에게 조언을 해주는 것은 절대 안 된다. 스스로 좋은 선택을 할 수 있도록 경험과 정보만을 제공하는 것이 상대방에 대한 배려이고, 나에 대한 방어 수단이다. 상대방이 조언이 필요하다고 답이 정해져 있는 것처럼 이야기해준다면 그 방법이 안 되었을 때 거리가 멀어질 수도 있다. 이건 진짜 내 경험에서 나오는 이야기다. 인생에 답안지가 어디 있을까? 있다면 정말 거액을 주고 사고 싶다.

간접적으로 불안함을 주는 것들도 있다.

우리가 가장 쉽게 접할 수 있는 뉴스가 대표적인 요소 중 하나이다.

뉴스는 대개 자극적인 소재를 이야기하고 정보를 전달한다.

얼마 전 묻지 마 폭행과 묻지 마 칼부림의 소재로 사람들의 불안을 매우 높이는 사건을 자주 보여주던 때가 있었다. 밖에 나가기가 무섭고 늦은 저녁 걷고 있을 땐 혹시나 누가 나를 따라오지는 않을까 뒤를 자주 돌아보게 만드는 일이 있었다.

일어나서는 안될 아주 무서운 일이지만 실제로 나에게 일어날 확률은 매우 낮은 것이 사실이다.

일어난다 해도 미리 알고 스스로 대처하기 힘들다. 굳이 대처를 한다면 나를 보호할 수 있는 무기는 하나 정도 가지고 다녀야 하고 지금부터 온갖 무술을 배우며 내 등 뒤에 카메라 하나 정도 설치해 휴대폰으로 실시간으로 계속 보고 있는다면 대처할 수 있지 않을까? 난 못할 것 같다.

우리가 자주 보는 온라인 SNS에서도 자극적인 것들이 수시로 노출되어 보는 것 또한 그렇다.

SNS는 나에게 다른 불안함을 선사하기도 한다. 누구는 이번 여름휴가를 유럽으로 갔구나 나는 언제 유럽 한번 가볼까, 누구는 이번에 차를 바꿨네? 저렇게 비싼 차를 요즘 돈 잘 버나 보다.

나는 언제 저런 차를 타볼까? 상대방과 비교하며 스스로 자책하는 불안함이다.

불안하다면 지금 당장 불안함에 대한 요소를 모두 끊어내고 자기비판은 그만하자.

사람은 모두 완벽하지 않다. 누구나 못하는 것이 있고, 잘하는 것 또한 다르다.

당신이 재벌 3세로 태어나지 못한 건 당신 잘못이 아니고,
부모님이 재벌이 아닌 것 또한 부모님의 잘못이 아니다.
당신의 실수는 인생에서 가장 큰 실수라고 생각할 수 있지만,
그 실수가 당신의 인생을 철저하게 망가뜨리지 못한다.
당신이 언제든지 실패할 수 있지만,
책임질 수 있다면 다시 시작할 수도 있다.
모든 불안함은 스스로 통제할 수 있고,
방법은 찾으면 된다. 못 찾겠다면 만들면 된다.

이미 일어난 일 44%

아직 일어나지 않은 일 44%

절대 일어나지 않을 일 4%

절대 일어날 수 없는 일 4%

남은 건 고작 4%

시작에는 끝이 있듯, 불안함도 끝이 있다

현재의 불안함을 이해하고 해결할 방법을 찾기 위해 다섯 가지의 이야기를 하려고 한다.

첫 번째. 두려움의 대상이 나를 불안하게 만든다.

각자 느끼는 두려움의 대상은 다르고, 지금 두렵다고 생각하는 대상이 다시 바뀌어 다가올 수도 있다. 현재 두려움의 대상이 무엇인지 정확하게 알아야 한다.

현재 직장에 출근하는 것이 두려움의 대상이라면.

직장이 두려운 것인지 직장 상사가 두려운 것인지 현재 받는 연봉이 적어 생계에 대한 두려움인지

정확하게 알아야 한다.

두 번째. 불안함을 벗어나기 위해 다가오는 불안함을 예상하자.

지금 다니는 직장의 연봉은 마음에 들지만, 살인적인 업무량과 직장 상사의 엄청난 스트레스를 받고 있다고 가정해 보자. 또 향후 몇 년 뒤 나의 모습을 떠올렸을 때 회사의 비전이 없다면.

돈을 모아 사업을 할지, 경험을 쌓아 이직을 할지, 그냥 버티며 직장을 다닐지 생각하게 된다

또 누군가는 현재 직장의 스트레스와 두려움이 너무 강해 뒤도 돌아

보지 않고 당장 퇴사를 선택할 수도 있다.

위 어떠한 선택을 하더라도 한 가지 확실한 것은 그다음의 두려움과 불안함은 분명 또 다르게 나에게 다가온다.

세 번째. 예상되는 불안함은 잘 짜인 계획으로 없앨 수 있다.

뒤도 돌아보지 않고 퇴사를 했다고 가정해 보자 이제 더 이상 그 전 직장에서 겪은 엄청난 스트레스와 출근에 대한 두려움은 없다. 하지만 이제 앞으로 다가올 불안함의 요소를 생각해 보고 직접 적어보자

예시)

이제 뭐 하면서 먹고 살지?

고정 비용은 얼마이며 더 줄일 수 있나?

지금 수익은 적더라도 미래를 위해 다른 일을 해볼까?

나는 지금 최소 얼마를 벌어야 할까?

이제 위 예시에서 당장 할 수 있는 것들과 현재와 아주 가까운 미래에 실행가능 하거나 예측할 수 있는 일들을 순위별로 나열해 보고, 지금 당장 할 수 없는 것들과 추상적인 것들은 제일 뒤로 보내 보자.

고정 비용은 얼마이며 더 줄일 수 있나?

나는 지금 최소 얼마를 벌어야 할까?

지금 수익은 적더라도 미래를 위해 다른 일을 해볼까?

이제 뭐 하면서 먹고 살지?

자 이제 질문에 대한 답을 적기 위한 시간에 목표를 세워야 한다.

예를 들어 지금부터 36시간 안에 답을 적겠다는 목표를 세우고 꼭 알람을 맞추어 놓자.

정해진 시간 없이 답을 찾는다면, 내일로 미루기만 하다가 시간만 흘러가고, 시간이 지날수록 마음먹은 일은 나태 해져 결국 실행하지 않을 확률이 매우 높다. 그러니 내가 정한 주어진 시간 안에 최선을 다해서 답을 채워보자 .

네 번째. 불안함이 주는 성장.

이제 질문에 대한 답을 적었다면 다시 알람을 맞추자.

이번엔 즉시 실행해야 하는 알람이다. 7일 안으로 실행하겠다는 목표로 움직여야 한다.

그동안 내가 하고 싶은 것들이 있다면 뭐든지 다 해보자 여행을 가고 싶다면 여행을 가고,

하루 종일 집에서 드라마나 영화가 보고 싶다면 봐라 잠만 자도 된다.

이미 내가 직접 내린 답은 정했으니 하루 종일 놀아도 많이 조급하지도 불안하지도 않다.

그러나 즉시 실행해야 하는 기간을 지키지 못하고 실행하지 못했다면, 다시 마음먹기는 전보다 더 힘들 거라고 장담한다. 그러니 꼭 자신과의 약속은 지켜야 한다.

여기까지 성공했다면 이제 나는 불안함에서 한 단계 성장했다.

다섯 번째. 불안함의 끝.

즉시 실행했다면 이제 지금 하는 것에 대한 목표를 정해야 한다.

처음엔 아주 사소한 것부터 목표를 잡아 실행해 보면 좋다.

아침 8시에 일어나기, 양치질 하루에 3번 하기, 하루에 한 번 누군가 칭찬하기 뭐든 좋다.

목표의 질이 중요한 것이 아니라 지속해서 꾸준히 할 수 있는지에 대한 마인드가 중요하다.

그리고 목표 달성의 확률을 높이기 위해선 매일 목표 캘린더와, 목표 일기를 적는 것만큼 좋은 게 없다. 내가 정한 목표를 이루기 위해서 매일 내가 해야 할 것을 정해 캘린더에 O, X로 표기하는 것이다. 목표 일기는 오늘 하루의 기분과 느낌을 적고, 내일은 어떤 것을 어떤 식으로 해보고 싶다는 것으로 마무리해서 내일의 할 일과 해야 할 것들에 대해서 미리 정하고 예상함으로써 자신감도 생길 수 있고, 불필요한 시간을 절약할 수 있기 때문이다.

잘 짜인 계획은 나를 움직이게 한다. 지금이 중요한 순간이라고 생각한다면 철저하게 실행하라 잘할 필요는 없다. 처음부터 모든 것을 잘하는 사람은 당연히 없고, 잘한다고 하더라도 그 사람도 나와 같은 사람이다. 실행만 해라.

"다들 알고 있다.
하고 싶지 않을 뿐이지
할 수 없는 일은 없다."

완벽한 순간은 없고, 완벽한 결말도 없다.

기다릴 필요 없다. 지금 당장 생각한 모든 것을 시도하자.

나는 생각과 계획이 참 많은 사람이다. 요즘 그걸 좋은 말로 MBTI "J"라고 하더라. 조심성과 상상력 또한 풍부하다. 엘리베이터를 탈 때 아주 가끔 엘리베이터가 갑자기 멈추었을 때를 상상하며 비상 버튼을 눌러 내가 있는 걸 알리고, 혹시나 비상 버튼이 고장 났을 때는 휴대전화로 119에 전화하자, 생각하며 휴대전화 배터리는 몇 프로나 있는지 확인한 적도 있다. 남들에게 표현하진 않지만, 간혹 스스로 인생 참 힘들게 산다는 생각도 한다.

돌다리도 두들겨 보고 건너는 성격으로 우유부단하다는 소리도 들어보았다.

너무 많은 생각이 독이 될 때가 분명히 있다. 그렇다고 아무 생각 없이 어떤 일을 시작하는 것 또한 생각 없이 사는 사람처럼 보일 수도 있다. 참 어렵다. 그래서 일할 때만큼은 기준을 정했다. 일단 해보고 안 되면 다른 방법을 또 찾아보자.

어느 한 남자 주인공이 10년간 친구로 지냈던 여자에게 고백할 타이밍을 기다리고 있었다.

대기업 영업팀에 근무하는 부장이 임원들이 참여한 신사업 아이템을 구성하는 회의에서 준비해 둔 아이템을 발표했다.

내일은 중요한 시험이 있는 날이기 때문에 오늘 밤새워서 공부하고 갈까? 아니다 내일 컨디션을 위해서 일찍 자고 일찍 일어나서 공부하자!

전부 결과는 어떻게 되었을까? 한 남자는 아주 멋진 타이밍에 고백해서 친구가 애인이 되었을까?

대기업 영업팀 부장의 발표 아이템이 선정되었을까 안 되었을까? 아침 일찍 일어나 공부해서 시험을 잘 봤을까? 결과는 아무도 모른다.

시작은 내가 잘하는 것과 무관하다. 하고 싶으면 하는 것 그게 바로 시작이다.

얼마 전 TV에서 젊은 여자 래퍼가 했던 말이 참 와닿았다 "요즘은 노력만 하면 누구든 성공하는 시대"에 살고 있다는 말을 들었을 때 참 공감이 갔다. 시작하고 노력한다면 누구든 성공하는 시대에 살고 있다는 말을 나 또한 믿는다. 무언가를 하고 있을 때 나오는 그 집중력이 주는 편안함을 나는 안다. 당신도 이미 알고 있다.

"시작을 알리는 신호는
내 몸이 움직였을 때
비로소 시작하는 것이다."

사람들에게 당연한 듯 이야기하자

지금 겪고 있는 일들이 혼자 감당하기 버겁다면, 누구든 좋으니 당연한 듯 이야기해 보자 처음이 어렵다. 이런 무거운 이야기를 내가 어떻게 이야기해? 창피해 쪽팔려 난 못 해라고 생각할 것이다. 하지만 생각해 봐라 모든 상담의 기본은 본인의 이야기를 하는 것이지 않는가 전문가들이 있는 병원이나 심리센터에서도 무슨 일이 있었는지 물어보고 심리적으로 불안한 것을 찾아 치료하는 것이 목적이다. 당연한 듯 이야기하기가 쉽지는 않겠지만 누군가 내 이야기를 들어주는 것만으로도 큰 도움이 된다. 여기저기 동네방네 소문내라는 뜻이 절대 아니다. 조금만 힘든 일이 있어도 그것도 못 견디는 사람이 되라는 말이 절대 아니다. 내가 현재 겪고 있는 일들 때문에 현재 내 상황이 그래서 힘들다 혼자서 감당하기 힘든 마음이라 너에게 이야기하고 위로받고 싶다고 솔직하게 이야기해도 된다. 상대방이 그걸 듣고 가만히 있겠는가? 그래도 이야기하기 힘들다면 입장을 바꿔서 한번 생각해 보자 내가 듣는 입장이라면 듣고 어떤 마음이 들지 그러면 이야기하기 좀 더 편해질 거라고 생각한다.

혹시나 그걸 왜 나에게 이야기하는 건데? 라고, 이야기하는 사람이 있다면 아주 좋은 기회 다 바로 손절할 수 있는 절호의 기회. 기회는 왔을 때 잡아야 한다.

주변에 그런 사람이 있다. 어려운 이야기를 어렵지 않게 자주 이야기하는 사람 처음엔 속으로 놀랐다. 갑자기 그런 이야기를 아무렇지 않게 할 수 있다고? 이제는 자주 만나서 이야기하고 있으면 나 또한 자연스럽게 어려운 이야기를 아무것도 아닌 것처럼 툭툭 하게 된다. 근데 참 신기하게도 진짜 그 일이 그렇게 어렵고 힘든 상황이 아닌 것처럼 느껴질 때가 있다. 그러다 보니 이제 내가 힘들어야 할 대상들이 없어지는 것 같은 생각도 들게 된다. 이처럼 마음의 힘듦도 노력하면 강해진다고 생각한다. 지금 바로 이야기하기 힘든 것들을 하나씩 적어서 이야기해 보자 지금 적혀 있는 그 힘든 일들이 이제는 아무것도 아닌 일들이 될 수 있다.

일을 하다 보면 어떠한 일을 크게 부풀려 오히려 힘들게 만드는 사람이 있고, 아무것도 아닌 것처럼 알아서 처리하고 보고하는 사람들도 있다. 일의 능률이나 능력을 판단할 때 당연히 무슨 일이든 알아서 처리하고 보고하는 사람이 더 잘하는 사람이지 않은가?

아무것도 아닌 것처럼 할 수 있는 자신을 만들어보자, 훈련으로 충분히 마음도 강해질 수 있다.

"생각을 조심해라 말이 된다
말을 조심해라 행동이 된다
행동을 조심해라 습관이 된다

습관을 조심해라 성격이 된다

성격을 조심해라 운명이 된다

우리는 생각하는 대로 된다”

- 마가렛 대처 -

몸의 변화

나는 아주 불안한 마음이 생기면 온몸이 화끈거리고, 어지럽고, 잠을 자기 위해 눈을 감으면 온갖 잡생각으로 잠을 이루지 못하는 날이 가끔 있다.

가장 처음 겪었던 때는 29살 가을쯤이었다. 갑자기 어지럽고 속이 매스꺼웠다. 일주일을 그렇게 보냈다. 360도 회전하는 놀이기구를 스무 번 쉬지 않고 타고 내렸을 때의 멀미 증상이 아무것도 하지 않고 가만히 있어도 느껴져 일상생활이 불가능할 정도였다. 저녁엔 더 심했다. 자려고 눈을 감으면 더 불안했고, 죽고 싶다는 생각이 들었다. 왜 그랬는지는 모르겠지만 그때 인터넷에서 연예인 자살이라는 단어를 검색해 무엇 때문에 우울했는지 나와 같은 증상이었는지를 찾아본 적도 있다. 일상생활이 불가능할 정도로 어지러움을 느껴 회사에 이야기해 연차를 내고, 한의원에서 진료받으니 외상 후 스트레스 장애 같다며, 최근에 급격하게 스트레스받는 일이 있었는지 물었다. 그때 당시 일에 대한 열정과 욕심이 가득했고, 너무 잘하려고 하는 마음이 컸다. 영업의 특성상 무언가를 계속 시도하고, 전략을 세우며 누구에게도 지기 싫었고, 항상 인정받고 싶으며 좋은 모습만 보여주고 싶다는 강박관념이 강했다. 같이 일하는 팀원들이 지는 것도 싫었고, 누군가 내 팀원에게 그 사람은 아직 부족하다, 못하더라 이런 이야기를 듣는 것 또한 싫었다.

그때 난 내 주변 모든 게 완벽해야 했다. 눈에 보이는 것과 결말이 중요하다고 생각했다.

하루 11~16시간은 일과 회의로 시간을 보내며, 몸과 정신을 혹사시키고 늦은 시간까지 팀원들과 회의하며, 이것저것 참 팀원들에게 시키는 것도 많았다. 이렇게까지 하는데 안 될 수가 없었다. 여기저기서 벤치마킹을 찾아왔고, 같이 일하고 싶다는 직원들도 생겼으니 말이다. 지금 생각하면 그때 당시 함께 일했던 팀원들에게 너무 미안하고, 감사하다. 물론 지금도 가끔 안부를 물으며 연락하고 지낸다. 그렇게 일에 미쳐 정신적인 스트레스를 많이 받아서일까. 인생에 처음 겪어본 불안장애가 마음이 불안하면 다시 찾아오곤 한다. 한번 경험해 본 사람은 알 것이다. 갑작스럽게 느끼는 불안함은 내 마음대로 컨트롤 할 수 있는 게 아니다. 스스로 극복하기 위해 처음엔 뉴에이지를 듣기도 하고, 마음에 안정이 되는 책을 읽기도 하고, 게임을 해보기도 했다. 잠깐이지만 다른 것에 집중한다면 그 순간은 괜찮다. 지금은 나름의 노하우가 생겨 가끔 마음이 불안하면 어딘가에 집중하기 위해 찾아서 실행하곤 한다. 마음먹기에 달렸다는 말이 거짓말이 아니라는 걸 새삼스럽게 느끼게 된다. 이와 같은 사람이 있다면 이야기해 주고 싶다. 스스로 편안한 마음이 되기 위해 필사적으로 노력해야 한다. 정해진 답은 없지만 편안해질 수 있다는 생각으로 당신이 지금 바로 집중할 수 있는 것에 집중해라. 억지로 자려고 하지 말고, 잠들기 힘들다면 지금 당장 밖으로 나가 걷기라도 하자. 가만히 있으면 안 된다. 당신은 아주 소중한 사람이고, 누군가에게 사랑받으며, 이 소중한 순간을 살아갈 의무와 이유가 있다. 당신은 강하다.

"인간은 나약하다.
새처럼 하늘을 날 수 없고
치타처럼 빠르지도 않으며
호랑이처럼 강한 힘도 없다
그 인간이 세상을 지배하고 있다."

주어진 시간을 알면 생기는 안도감

회의에 이런 주제로 강의를 한 적이 있다. 당신에게 주어진 시간이 얼마나 될까요?

내가 앞으로 살아가면서 주어진 시간으로 얼마나 무엇을 할 수 있을지를 이야기하고 싶었다.

의료기술 발달로 인해 인간의 수명은 늘어나고 있다. 하지만 현실적으로 내 몸이 온전히 내 마음대로 움직일 수 있을 때 내가 하고 싶은 것들과 해야 하는 것들에 대한 시간적인 기준을 세워 본다면 나는 이렇게 정리하고 싶다.

나는 100살까지 살 것이다. 하지만 일은 65살까지만 하고 싶다. 지금 나이의 기준을 예로 30살 기준으로 잡고 앞으로 35년간 일을 한다는 가정하에 하루 10시간씩 일한다고 가정해 보자 35년을 일수로 계산한다면 12,775일이다. 여기에 다시 시간으로 바꾸면 306,600시간이다. 여기에서 일하는 시간이 10시간이면 127,750시간이다. 그중 남는 시간은 178,850시간이다.

이제 시간을 시급 10,000으로 계산해 본다면 1,277,500,000원이다. 월급으로 계산하지 않은 이유는 앞으로 이직을 할 수도 있으며, 일하는 시간이 달라질 수도 있으니 시급으로 계산해 보았다.

이제 각자 상황에 맞게 고정 지출을 계산해서 빼고, 모으는 돈을 계산해 본다면 정확하진 않지만, 미래에 대한 노후 준비나 앞으로 미래에 대한 방향성에 도움이 될 거라 생각한다.

남는 시간을 일에 집중하여 금전적인 목표를 늘일 수도 있으며, 현재 하는 일에 대한 고정적인 수입을 늘리기 위한 방법을 찾을 수도 있다. 일하는 시간을 빼고 남는 시간은 어떻게 활용할 것인지에 대한 생각도 할 수 있다. 나는 확실한 정답에 대해서 이야기하는 것이 아니다. 앞서 이야기한 것처럼 완벽한 것은 없고, 완벽한 순간 같은 건 없다. 단지 조금이나마 불안하지 않은 마음으로 1분 1초를 살아갈 수 있다면 그걸로 만족한다.

"지금 하지 않는다고 해서
나중에 하지 않아야 되는 것이 아니다."

그럴 필요 없는 걸 이미 알고 있다

그런 날이 있었다. 전날 잠을 뒤척여 2시간만 자고, 출근해서 퇴근까지 완전 녹초가 되도록 일을 하고, 집에 도착해 잠을 자려고 해도 잠이 들지 못할 때가 있다. 머리도 아프고, 눈도 아프다. 빨리 잠들어야 한다는 것을 알면서도 이상하게 잠에 들지 못한다. 쓸데없는 걱정 때문이다. 오늘 할 일 다 했었나? 내일 그거 해야 하는데 어떻게 하지? 정말 그럴 필요 없다는 걸 알면서도 컨트롤이 안된다. 너무 억지로 잠들려고 하면 오히려 더 잠이 오지 않는다. 미칠 노릇이다 별의별 방법을 다 써본다. 지금 당장 신경 쓰지 않아도 된다고 생각하지만, 한번 시작된 생각들은 좀처럼 머리에서 떠나지 않는다. 스스로에게 화도 난다. 왜 쓸데없는 잡생각에 얽매여서 나를 갈아먹는지. 그래 네가 이기나 내가 이기나 해보자는 식으로 다시 밤을 지새운다. 당장 해결되지도 않을 문제와 이미 오지도 않은 내일에 대해서 그냥 걱정만 하는 것이다. 이건 어떻게 노력만으로 되는 것은 아니다. 그럴 땐 차라리 일어나서 책을 읽든, TV를 보든 일단 움직인다.

이미 알고 있고, 그럴 필요 없는 일들이 실제 생활에서도 적지 않게 있다.

옷 정리를 하면서 이건 꼭 살을 빼면 입는다며, 몇 년 동안 버리지 못한 옷들로 시작해서, 굳이 필요 없는 옷을 구매해 옷장에 걸어만 두는 것도, 다 먹지도 못할 음식을 이것저것 주문하는 것부터 뭔가 없거

나 부족하면 안 된다는 생각 때문이다. 그것도 그럴 것이 없으면 불편하고, 아쉬운 마음이 드는 건 사실이다. 하지만 굳이 없어도 되는 것들은 과감하게 버리고 사는 게 생각할 것들을 좀 더 줄일 수 있는 방법 중에 하나다. 인간관계 역시 마찬가지다. 모든 사람에게 억지로 좋은 사람으로 보일 필요는 없다. 굳이 모든 자리에 참석하지 않아도 된다. 모두가 “예”라고 이야기할 때 “아니요”라고 이야기하라는 것이 아니라 어떤 상황에 끌려 원하지 않는 것들을 억지로 하지 않아도 된다는 걸 이야기하고 싶다. 일도 마찬가지다 모든 일을 다 잘하면 너무 좋지만 잘하지 못하는 걸 애써 잘하는 척 포장할 필요는 없다. 오히려 역효과로 돌아올 수 있다. 직장 상사 눈에는 웬만하면 다 보인다. 잘하는 건지 잘하는 척하는 건지 모르면 모른다고 이야기하고, 어려우면 어렵다고, 솔직하게 이야기하는 것이 좋다. 사는 게 그렇다. 통장을 제외하고, 뭐든 채우기만 한다면 사람도, 일도, 사랑도 흘러넘치게 된다. 그땐 주체할 수 없는 힘든 감정들을 혼자서 온전히 감당해야 한다. 비워낼 줄도 알아야 한다. 조금씩 비워내는 연습을 해보자. 일단 과거에 관련된 것부터 버리자. 버렸으면 다시 잘 채우자. 이미 버린 것에 대한 후회가 남지 않도록 채우는 연습 또한 중요하다. 매일 하루에 하나씩 버릴 것들을 정하고, 채울 것들을 정해보자. 물건이든, 감정이든, 사람의 관계이든, 아주 작은 것부터 시작해보자.

“지금은 늦었지만,
나중엔 시도조차 못한다.”

작가의 말

안녕하세요. 전문 작가는 아니지만 좋은 기회로 하고 싶은 말을 글로 써서 책으로 만든다고 생각하니 정말 행복한 일이 아닐 수가 없습니다! 살면서 제 글이 담긴 책이 출간된다고 생각하니 정말 감개무량합니다.

인생의 목표는 하고 싶은 것은 하면서 살자는 것입니다.

평소에 노래 부르는 것도 좋아해 얼마 전에는 뮤지컬 공연도 했습니다.

이렇게 이것저것 경험을 하고 그 분야의 사람들을 만나보면 분야별로 사람들의 특색이 모두 다른 것 같습니다.

20대에는 여행에 미쳐 혼자서 국내 이곳저곳을 혼자서 여행하며, 죽기 전에 꼭 세계여행을 해보자고 목표를 가졌던 적도 있었습니다. 물론 지금도 그 목표가 사라진 것은 아니지만, 지금은 내가 하고 싶은 것을 할 때 그 뒤에 따라오는 책임져야 할 것들이 있다는 생각이 들면서 갈수록 마음먹은 게 쉽지 않다는 걸 깨닫습니다.

노래 가사에 이런 말이 있습니다. “돌아올 수 없는 행복도 있어” 이 말은 해석하기 나름이지만 저에게는 이미 지나온 시간의 행복들이라고 생각합니다. 대부분이 그렇지 않을까요?

살면서 단 한 번 과거로 돌아갈 수 있다면, 지금 당장 나에게 부족한 것을 떠올리며 그때 정도면 괜찮겠다 생각하지 않을까요?

이미 지나온 시간은 바꿀 수 없으니
지금의 시간이 헛되지 않도록 부디 행복한 삶을 보내시길 바랍니다.

박종언입니다.

그 아무것도 확실하지 않더라도

발행 2024년 3월 5일
지은이 임영원, 김세영, 유도담, 신유진, 최수경, 최문희(앨리스), 박종언
라이팅리더 조주헌
디자인 윤소정
펴낸이 정원우
펴낸곳 글ego
출판등록 2019.06.21 (제2019-000227호)
주소 서울시 강남구 강남대로 118길 24 3층
이메일 writing4ego@gmail.com
홈페이지 http://egowriting.com
인스타그램 @egowriting

ISBN 979-11-6666-460-1